DENTAL MANAGEMENT OFFICER
치과경영관리사

김다은 지음

커뮤니케이션
이론

군자출판사

치과경영관리사

커뮤니케이션이론

첫째판 1쇄 인쇄   2021년 01월 12일
첫째판 1쇄 발행   2021년 01월 22일
첫째판 2쇄 발행   2022년 02월 10일

지 은 이   김다은
발 행 인   장주연
출 판 기 획   한수인
책 임 편 집   이경은
편집디자인   신지원
표지디자인   신지원
발 행 처   군자출판사
         등록 제 4-139호(1991. 6. 24)
         본사 (10881) **파주출판단지** 경기도 파주시 회동길 338(서패동 474-1)
         Tel. (031) 943-1888   Fax. (031) 955-9545
         홈페이지 | www.koonja.co.kr

ISBN 979-11-5955-640-1
      979-11-5955-636-4 (세트)

정가 25,000원

편저자 김 다 은

- 한서대학교 치위생학과 학사
- 경희대학교 경영대학원 의료경영 MBA 과정 석사
- 현) 주식회사 메듀플 이사/수석강사
- 현) 춘해보건대학교 치위생과 외래교수
- 현) 서울이다움치과 총괄컨설턴트
- 현) 새론치과 총괄실장
- 현) 치과위생사커뮤니티 명품치과위생사 공식 Head 강사

주요분야

- 병의원 시스템및교육컨설팅
- 상담강의/코칭
- 중간관리자/강사 육성

대표강의

- 치과경영관리사(커뮤니케이션 이론)
- 성장세미나 시리즈(총 12part 상담 및 고객관리)
- Dental Sales Skill up 초, 중, 고급 강의
- 마케팅 및 상담(인제대 상담심리학과)
- 상담 및 코디네이터 과정(서라벌대 치위생과)
- 치위생과 취업특강
- 치과 시스템 및 상담관련 강의/코칭(치과병의원, 기관, 개인)

머리말

현재 치과의 개원환경은 예측이 어려울 만큼 변화하고 있습니다. 적절한 장소에 개원을 하면 무난하게 환자들이 기다리며 운영되던 과거와는 달리 지역 내 경쟁은 피할 수 없는 숙명이 되었습니다. 단순히 진료를 잘하는 것만으로는 살아남을 수 없는 개원환경에서 이제 "경영"이라는 부분은 치과 운영에 있어 필수적인 요소이며 치과라는 의료의 특수성을 감안한 경영에 대한 준비가 필요한 시점입니다.

치과경영관리사는 치과 병·의원의 이러한 경영 변화에 대처하고, 지속적인 성장 경영을 위한 올바른 인식과 전문성을 가진 체계적인 경영관리가 가능하도록 실제적인 현업 지식 및 역량을 평가하는 자격시험이라고 할 수 있습니다.

이 중 커뮤니케이션 영역은 경영 전반에 있어 실제적인 내·외부 고객 접점 영역이라는 특이점을 가진 실무영역에 해당되는 바, 다음과 같은 목표를 위한 평가를 시행하고자 합니다.

첫째, 의료서비스를 제공하는 치과 종사자들이 갖추어야 할 기본매너를 비롯하여 환자와의 소통 및 매출향상을 위한 세일즈 기법의 이론과 실제적인 사례를 이해하고 적용하는 것을 목표로 합니다.

둘째, 치과경영에 있어 핵심이라고 할 수 있는 내부고객 즉 직원들의 자발적인 동기부여와 조직활성화를 위한 관리자의 커뮤니케이션 방법에 대한 역량 향상을 목표로 합니다.

치과경영관리자가 되기 위해서는 생각의 전환과, 태도의 변화가 밑바탕이 되어야 하므로 단순한 시험을 위한 준비보다는, 본인만의 가치를 만들어 내고 브랜딩화 하는 과정이라는 생각으로 접근하여 경쟁력 있는 경영 전문가로 성장하시길 기원합니다.

2022년 1월
편저자 김 다 은

자격소개 및 시험일정

자격소개

◉ **치과경영관리사**

치과 병·의원의 경영합리화를 위하여 경영진단이라는 조사방법에 의거, 객관적인 입장에서 엄밀히 조사/분석하여 경영 질환의 원인을 발견하고 그에 대한 합리적인 대책을 제공할 수 있는 전문 자격사를 말합니다.

치과경영관리사 = 조사 분석 + 원인 발견 + 대책 마련 + 임직원 교육

◉ **치과경영관리사 수행직무**

치과경영관리사는 의료경영이라는 특수한 환경에서 치과 병/의원의 경영 안정성 여부를 진단하고, 위험관리(risk management)를 통해 각종 손해를 예방하여, 커뮤니케이션/상담을 통해 환자를 유치/관리하여 클라이언트가 원하는 수준으로 매출이 관리될 수 있도록 양질의 교육과 컨설팅을 활용해 지속 가능한 성장 경영 모델을 구축합니다.

자격시험정보

⊙ 평가 과목

경영이론	객관식 40문항 / 주관식 5문항 / 시험시간 45분
법무이론	객관식 40문항 / 주관식 5문항 / 시험시간 45분
세무회계이론	객관식 40문항 / 주관식 5문항 / 시험시간 45분
커뮤니케이션이론	객관식 40문항 / 주관식 5문항 / 시험시간 45분

⊙ 평가영역

경영이론	경영의 기본 프로세스, 조직 및 인적자원관리, 마케팅 관리, 원무관리, 전략, 재무관리에 관한 기본적인 개념 및 실무 응용능력
법무이론	치과경영관리사가 갖추어야 할 법적 지식과 법률관련 실무 처리 업무가 가능한지 여부
세무회계이론	치과 병·의원의 종합소득세의 계산과 부가가치세 및 원천징수의 개요
커뮤니케이션이론	내·외부 고객과의 효율적인 커뮤니케이션을 위한 기본 이론의 이해와 실무 적용 가능 여부

⊙ 시험일정

구분		일정
시험일정		연 3회 시행(4월, 8월, 12월) 치과경영관리사 홈페이지(www.dentalexam.org)에서 시험일정 확인
원서접수		치과경영관리사 홈페이지(www.dentalexam.org) 접속 → 원서접수
합격기준		100점 만점 기준에 40점 이상이며, 평균 점수가 60점 이상
합격자 발표		치과경영관리사 홈페이지(www.dentalexam.org) 접속 → 성적확인
응시 자격	연령 및 학력	제한 없음
	결격사유에 해당하지 않는 자	
		– 부정행위자 처분 후 3년이 지나지 않은 자 – 미성년자, 피한정후견인 또는 피성년후견인 – 파산선고를 받고 복권되지 아니한 자 – 금고 이상의 실형의 선고를 받고 그 집행이 종료(종료된 것으로 보는 경우를 포함한다)되거나 집행을 받지 아니하기로 확정된 후 2년이 경과되지 아니한 자 – 금고 이상의 형이 집행유예를 받고 그 집행유예기간 중에 있는 자

목차

CHAPTER **1** 비즈니스 매너 ·· 011

CHAPTER **2** 이미지 메이킹 ··· 035

CHAPTER **3** 고객 ·· 055

CHAPTER **4** 커뮤니케이션의 이해 ······································ 081

CHAPTER **5** 의료서비스/고객 접점(MOT) ·························· 119

CHAPTER **6** 세일즈에 대한 이해 ·· 141

CHAPTER **7** 환자 상담의 이해와 적용 ································· 165

CHAPTER **8** 컴플레인 응대 ··· 221

CHAPTER **9** 내부고객(직원) 커뮤니케이션 ······················· 235

비즈니스 매너

Dental Management Officer

비즈니스 매너

Dental Management Officer

01

1. 매너에 대한 이해

1) 매너의 어원/개념

(1) 매너의 어원

매너는 라틴어 Manuarism(Hand, 손)로서, Arius(방법, 방식, 태도)의 의미를 담고 있다. Arius는 More at manual, More by the manual 즉, 저마다 가진 독특한 행동, 습관, 태도로써 고유한 느낌으로 상대에게 전해지며 상대방이 존중과 배려를 받는다는 느낌이 들도록 마음과 행동을 다하는 것이라 할 수 있다.

(2) 매너의 개념
① 저마다 사람이 가진 독특한 행동으로서 상대에게 행하는 구체적 행동방식을 말한다.
② 상대방에게 전달되는 배려의 감정으로써, 상대가 편안하도록 마음을 표현하는 행동 방식을 말한다.

➕ 더 알아보기

❶ **에티켓**
에티켓은 사회생활을 원활히 하기 위한 사회적 불문율이다.
에티켓은 사회생활의 모든 경우와 장소에서 취해야 할 바람직한 행동 양식이다.
에티켓은 법적 구속력을 갖고 있지는 않지만 사회생활을 부드럽게 하고 쾌적한 기분을 갖게 하기 위해 지켜야 할 규범적 성격을 가진다.

❷ **예의범절**
사전적 의미로 예의범절은 일상생활에서 갖추어야 할 모든 예의와 절차를 의미한다.
예의범절은 유교의 사상적 성향을 수용하며 발전하였고, 유교 도덕 사상의 기본인 삼강오륜에 근간을 두고 발전하였다.

커뮤니케이션이론

CHAPTER 1
CHAPTER 2
CHAPTER 3
CHAPTER 4
CHAPTER 5
CHAPTER 6
CHAPTER 7
CHAPTER 8
CHAPTER 9

2. 인사 매너

1) 인사 매너의 중요성

인사란 사람과의 만남에서 이루어지는 여러 가지 의례화 된 언어나 행동규범을 말하며 가장 기본적인 예절이고 상대방에 대한 존경의 표현이기도 하다.

2) 인사의 기본자세

(1) 밝은 표정으로 상대방의 눈을 바라보며 바르게 선다.

(2) 상대방의 시선을 맞추고 밝은 미소를 지으며 상냥하게 인사말을 건넨다.

(3) 가슴과 등을 자연스럽게 곧게 펴고 허리부터 숙인다.

(4) 머리, 등, 허리가 일직선이 되도록 숙인 상태에서 1초 정도 멈춰서 공손함을 더한다.

(5) 자연스럽게 상체를 일으켜 세운다.

(6) 상체를 똑바로 세운 후 상대의 눈을 보며 미소를 짓는다.

3) 인사의 시기

(1) 일반적으로 30보 이내에서 마주칠 경우 인사한다.

(2) 가장 좋은 시기는 시선을 마주하는 거리인 6보 앞에서 인사하는 것이다.

(3) 갑자기 만나거나 의외의 상황에서는 즉시 인사한다.

(4) 이동 중에 인사해야 할 경우, 빠르게 상대방의 앞으로 가서 정중히 인사한다.

(5) 계단에서 마주친 경우, 상대와 같은 위치로 빠르게 이동하여 정중히 인사한다.

4) 인사의 종류

15° 약례

30° 보통례

45° 정중례

(1) 목례(눈으로 예를 표하는 인사)

① 상체를 숙이지 않고 가볍게 머리만 숙여서 하는 인사이다.

② 양손에 무거운 짐을 들고 있거나, 모르는 사람과 마주쳤는데 인사를 해야 하는 경우(병원에선 내가 모르는 환자라 하더라도, 직원이 아니고 만나거나 눈이 마주치면 목례를 하도록 한다), 통화 중인 경우 활용할 수 있다.

(2) 약례(짧은 인사)

① 상체를 15도 정도 숙여 가볍게 하는 인사이다

② 동료나 손아랫사람, 친한 사람과 하는 인사이다.

③ 실내나 통로, 엘리베이터 안과 같이 협소한 공간, 화장실과 같은 개인적 공간에서 활용할 수 있다.

(3) 보통례(보통 인사)

① 가장 일반적인 인사법으로 상체를 30도 정도 숙여서 하는 인사이다.

② 보편적으로 처음 상대를 만나는 경우 하는 인사이다

③ 고객, 상사, 윗사람에게 하는 인사이며 상사에게 보고하거나 지시를 받는 경우에도 보통례를 한다.

(4) 정중례(정중한 인사)

① 가장 공손한 인사로 상체를 45도 정도 숙여서 하는 인사이다.

② 최고의 경례로서 감사하는 마음을 표시하거나 상대방에게 정중하게 사과할 때 하는 인사법이다.

③ 면접이나 공식 석상인 경우에도 정중례로 예를 갖추도록 한다.

(5) 상황별 인사법

① 출퇴근 시

- 아침 출근 시에 인사할 때는 밝고 명랑한 목소리로 "좋은 아침입니다." 또는 "안녕하세요."라고 웃는 모습으로 인사한다.
- 지각하는 경우, "늦어서 죄송합니다."라고 말하면서 자신의 출근을 모두에게 알리는 것이 바람직한 자세이다.
- 퇴근 인사를 할 경우에는 "먼저 퇴근하겠습니다.", "내일 뵙겠습니다."라고 말

하는 것이 좋다.

- 상사보다 먼저 퇴근할 때 "수고하세요.", "수고하셨습니다."라는 말은 하지 않는다(윗사람이 아랫사람에게 하는 말). 남아있는 상사에게 다가가서 "제가 도울 일이 있습니까?"라고 말하는 배려를 보이면 좋은 인상을 남길 수 있다.

② 엘리베이터, 복도 등 예상치 못한 곳에서 상사를 만났을 때

예상치 못한 장소에서 상사를 만났을 경우에는 가볍게 약례로 인사한다.
단, 상사가 외부인사와 함께인 경우에는 멈춰 서서 정중하게 인사해야 한다.

③ 화장실에서 상사를 만났을 때

화장실에서 용무 중인 상사를 만났을 때는 인사하지 않는 것이 예의이다. 다만 상사와 눈이 마주쳤을 경우 또는 용무가 다 끝났을 때는 가벼운 약례로 인사를 나누고 자신의 용무를 본다.

④ 계단에서 마주쳤을 때

계단에서 인사할 상대와 마주쳤다면 먼저 얼굴표정으로 인사를 한 다음 서로 비슷한 위치가 되면 기본자세를 취하고 인사말과 더불어 인사를 다시 한다.
계단은 비교적 협소한 공간이기 때문에 가볍게 약례를 한다.

⑤ 많은 사람들에게 인사할 경우

보통의 목소리보다 큰 목소리로 인사를 하되, 각각에게 미소와 눈맞춤을 해야 한다.

⑥ 통화 중 인사

통화 중에 눈이 마주쳤을 경우 밝은 미소로 가벼운 목례를 한다.
만약 높은 상사와 눈이 마주쳤을 때는 통화 중인 상대방에게 양해를 구한 뒤 정중하게 인사한다.

5) 인사 매너의 5대 포인트

(1) 내가 먼저 인사한다.
(2) 미소와 함께 인사한다.
(3) 바라보며 인사한다.

CHAPTER 1
CHAPTER 2
CHAPTER 3
CHAPTER 4
CHAPTER 5
CHAPTER 6
CHAPTER 7
CHAPTER 8
CHAPTER 9

(4) 밝은 인사말과 함께 인사한다.

(5) 상대나 상황에 적절한 인사를 한다.

3. 소개 매너

1) 소개 매너의 중요성

(1) 소개 매너는 인간관계를 형성해 나가는 데에 있어 좋은 가교역할이 될 수 있으므로 비즈니스 상황에서 매우 중요하다.

(2) 인간관계의 형성에 있어 상대방의 인상과 느낌은 오랫동안 영향을 미치는데, 첫 만남에서 다른 이들을 소개하고 소개받는 형식과 예의는 매우 중요하다.

2) 소개하는 순서

먼저		나중
손아랫사람(연소자)	→	손윗사람(연장자)
지위가 낮은 사람	→	지위가 높은 사람
남성	→	여성
후배	→	선배
집안 사람	→	손님
회사 사람	→	고객
예외	국가원수, 성직자 등은 이 기준에서 예외가 될 수 있음	

3) 소개 시의 매너

(1) 상대방을 소개하기 전에 미리 소개할 내용과 정확한 이름을 확인하여 실수하지 않도록 한다.

(2) 소개 시에는 소개를 받는 사람이나 소개되는 사람 모두 일어서는 것이 원칙이나, 노령인 사람이나 환자는 일어서지 않아도 괜찮다.

(3) 지위가 높은 사람이나 성직자, 모임에서 가장 높은 사람을 소개할 경우 모두 일어나는 것이 원칙이다.

(4) 소개가 끝났을 때 서열이 높은 사람이 먼저 손을 내밀기 전에 아랫사람이 악수를 청하는 것은 결례이니 유의한다.

(5) 소개를 받고 인사를 나눌 경우, 상대방의 이름을 반복하고 직함을 불러 주며

인사말을 덧붙이면 좋다.

(6) 소개 시 기분 좋을 만한 간단한 문구를 활용하여 소개하는 것이 좋다(지나치게 장황한 인사말이나 칭찬은 상대방에게 불편감을 줄 수 있다).

(7) 소개가 끝나면 남성 간에는 악수를 하고, 이성 간일 경우 여성은 약례로 대신한다.

(8) 연소자가 연장자에게 소개되었을 때는 상대방이 악수를 청하기 전에 먼저 손을 내밀어서는 안 된다.

(9) 초면의 소개에 있어 정치, 종교, 지방색, 금전과 관련된 화재는 상식적인 금기 사항이다.

4. 악수 매너

1) 악수의 중요성

악수는 비즈니스 사회의 격식과 사람 간의 친근함을 주는 인사법으로 사회활동에서 매우 중요한 행위이다. 또한 악수는 사람의 신뢰와 따뜻함을 느낄 수 있는 스킨십이자 인간관계를 쌓는 매우 중요한 커뮤니케이션이다.

2) 악수하는 방법

(1) 먼저 바른 자세를 유지한 후 밝은 표정으로 상대의 눈을 바라본다.

(2) 오른쪽 팔꿈치를 직각으로 굽혀 수직으로 올린다.

(3) 손가락을 가지런히 하고 엄지는 벌려서 상대방 오른손 검지 사이에 맞추듯이 살며시 쥔다.

(4) 적당한 힘을 주어 잡은 후 맞잡은 손을 2-3번 정도 가볍게 흔든다.

(5) 상대가 아플 정도로 힘을 주거나 지나치게 흔들지 않도록 주의한다.

3) 악수하는 순서

(1) 여성이 남성에게 먼저 청한다.

(2) 윗사람이 아랫사람에게 먼저 청한다.

(3) 선배가 후배에게 먼저 청한다.

(4) 기혼자가 미혼자에게 먼저 청한다.

(5) 상급자가 하급자에게 먼저 청한다.

CHAPTER 1
CHAPTER 2
CHAPTER 3
CHAPTER 4
CHAPTER 5
CHAPTER 6
CHAPTER 7
CHAPTER 8
CHAPTER 9

4) 악수할 때 주의사항

(1) 악수는 오른손으로 하는 것이 원칙이다.

(2) 악수할 때는 정중하고 경건한 마음으로 한다.

(3) 자연스러운 표정과 바른 자세를 한 상태에서 악수를 한다.

(4) 형식적으로 손끝만 잡거나 손끝만 내미는 것은 실례가 된다.

(5) 남성은 여성과 악수할 때 반드시 장갑을 벗고 악수한다.

  (여성의 경우는 장갑을 벗을 필요 없이 낀 채로 해도 무방하다)

5) 악수 매너의 5대 포인트

(1) 미소

자연스럽고 부드럽게 미소를 지으면서 악수한다.

(2) 눈맞춤

상대의 눈을 응시하고 악수를 한다.

(3) 적당한 힘

적당한 힘을 주고 손을 잡아야 한다.

(4) 적당한 거리

팔꿈치가 자연스럽게 굽혀지는 정도의 거리를 유지하고 악수한다.

(5) 리듬

손을 지나치게 흔들지 않고 두세 번 정도로 한다.

5. 명함 매너

1) 명함 매너의 중요성

명함은 처음 대면하는 상대방에게 자신을 표현하는 수단이며 그 사람의 얼굴이자 인격이다. 사회생활을 하면서 처음 대면 시 명함을 주고받는 행위는 그 사람을 평가하는 수단이며, 첫인상을 결정하므로 명함을 주고받을 때도 예절이 필요하다.

2) 명함을 주는 매너

(1) 명함은 깨끗한 상태로 여유 있게 준비한다.
(2) 명함을 줄 때는 반드시 일어서서 정중하게 인사하고 왼손으로 받쳐서 오른손으로 준다.
(3) 명함을 건네는 위치는 상대방의 가슴 높이로 일어서서 건넨다.
(4) 상대방이 읽기 쉽도록 명함의 위쪽이 자신을 향하도록 주며 자신의 소속과 이름을 확실하게 밝히며 준다.
(5) 명함은 손아랫사람이 손윗사람에게 또는 손님이 먼저 건넨다.

3) 명함을 받는 매너

(1) 명함을 받을 때도 일어서서 두 손으로 공손하게 받는다. 두 손으로 받는 것이 기본 매너이지만 왼손을 오른손 팔꿈치에 대주는 것도 무방하다.
(2) 받은 명함은 바로 명함 지갑에 넣지 않고 상대의 회사 및 소속과 이름을 확인한 후 상대의 이름과 직책을 호명할 일이 생기면 직책으로 호명하는 게 좋다.
(3) 상대에게 받은 명함에 모르는 글자가 있으면 정중하게 물어본 뒤 나중에 메모해 둔다.
(4) 받은 명함에 글씨 또는 낙서를 하거나 책상 위에 그냥 내버려 두어서는 안 된다. 또한 명함을 손에 쥐고 만지작거리거나 산만한 행동을 보여서도 안 된다.
(5) 자리를 마무리하고 인사를 나누면서 받은 명함은 명함 지갑에 집어넣는 것이 원칙이며 받은 명함은 그날 중으로 3W(When, What, Where) 정보를 명함 여백에 쓰고 명함 보관 케이스에 정리해 두면 다음에 참고가 된다.

4) 명함을 동시에 주고받는 매너

(1) 오른손으로 주고 왼손으로 받는다.

(2) 내 손가락이 상대방 명함의 이름을 가리지 않게 받는다.

(3) 직급이나 서열이 낮더라도 일어서서 받는 것이 좋다.

(4) 가벼운 스몰 토크를 나눈다.

5) 명함 매너의 5대 포인트

(1) 직급, 서열이 낮은 사람이 먼저 전달한다.

(2) 다른 회사에 방문했다면 지위와 무관하게 방문한 사람이 먼저 건네는 것이 좋다.

(3) 꼭 명함 지갑이나 케이스를 사용한다.

(4) 상대방이 읽기 좋은 방향으로 배꼽과 가슴 위치에서 건넨다.

(5) 정중하게 전달하되, 소속과 성명을 밝힌다.

6. 호칭과 경어 매너

1) 호칭

(1) 호칭의 중요성

비즈니스에서 올바른 호칭과 경어의 사용은 상대방을 배려하는 중요한 매너이자 사용하는 사람의 품격과 교양을 평가하는 척도로 작용한다.

(2) 계층에 따른 호칭

상급자	① 직급이 높은 사람의 성과 직위 다음에 '님'의 존칭을 붙여 호칭한다. 예: 김부장님 ② 성명을 모르는 경우에는 직위에만 '님'의 존칭을 붙인다. 예: 부장님 ③ 직위가 높은 사람들에게 자신을 칭할 때에는 겸양어인 '저'라고 한다.
동급자	① 성과 직위 또는 직명을 호칭한다. ② 동급자인 경우에는 이름 뒤에 '씨'를 붙여 호칭하며, 초면인 경우 '님'을 붙인다. ③ 선임자인 경우에는 이름 뒤에 '님'을 붙여 호칭하거나 '선배'라는 호칭을 사용한다.
하급자	① 직위가 있는 경우에는 직명으로 호칭한다. 예: 기획팀 김 대리, 김 주임 ② 초면인 경우와 직위가 없는 경우에 '씨'를 붙여 호칭한다. 예: 김영희 씨 ③ 하급자에게 자신을 칭할 때는 '나'라고 지칭한다. ④ 부하라도 연장자일 때는 적절한 예우가 필요하다.

(3) 틀리기 쉬운 호칭

① 상사에 대한 존칭은 호칭에만 사용한다. 예: 사장님실 (X) → 사장실 (O)

② 문서에는 상사의 존칭을 생략한다. 예: 사장님 지시 (X) → 사장 지시 (O)

③ 상사의 지시를 전달할 때에는 '님'을 붙여 사용한다. 예: 사장님 지시 사항을 전달하겠습니다.

2) 경어

(1) 경어의 종류

겸양어	① 자기 자신을 낮춰서 하는 말로 상대방을 높여주는 의미를 가진다. ② 말하는 주체가 자신일 경우 사용한다. 예: 제가 바로 확인하겠습니다.
존칭어	① 상대방을 높이는 말로, 상대방에게 경의를 표하는 의미를 가진다. ② 말하는 주체인 자신보다 상대를 높여야 하는 경우 사용한다. 예: 고객님께서 말씀하셨습니다.
정중어 (공손어)	① 상대방에게 정중한 느낌을 주고 듣는 사람을 대우해 주기 위해 공손하게 하는 말이다. ② 초면인 경우 공식적인 장소, 지위가 높거나 존경의 의미를 담아 이야기해야 하는 상대에게 사용한다. 예: 나중에 전화드리겠습니다.

(2) 경어 사용 매너

① 상대 회사를 지칭할 때는 '귀사'라고 한다.

② 대외적으로는 '저', '저희'로 하는 것이 기본이다.

③ 승진이나 다른 직급으로 이동 시에는 바로 새로운 직함을 붙여 호칭한다.

④ 자신보다 윗사람에게 "수고하셨습니다."라는 인사를 하는 것은 실례이다.

7. 방문객 안내 매너

1) 안내 매너

(1) 방문객에게 등을 보이지 않고, 30도가량 비스듬한 대각선 방향에서 안내한다.

(2) 방문객보다 2-3걸음 앞에서 안내한다.

(3) 시선은 고개와 함께 움직이고 고객이 이해했는지 눈 맞춤으로 확인한다.

CHAPTER 1
CHAPTER 2
CHAPTER 3
CHAPTER 4
CHAPTER 5
CHAPTER 6
CHAPTER 7
CHAPTER 8
CHAPTER 9

(4) 방문객의 발걸음에 맞추어 고객이 따라오는 정도를 확인하며 안내한다.

(5) 복잡한 곳이나 모퉁이 지점에서는 미리 구두와 함께 방향을 안내한다.

복도에서의 안내

- 복도에서는 오가는 다른 사람을 고려하여 한 방향으로 안내한다.
- 약간 비스듬한 자세로 손님과 거리가 벌어지지 않도록 확인하며 약간 앞서서 안내한다.
- 방향을 바꾸어야 할 지점에서는 구두로 미리 안내한 후에 손으로 방향을 알려준다. 이때 손가락 사이가 벌어지지 않도록 주의한다.

계단에서의 안내

- 계단을 오르고 내릴 때 방문객보다 안내자가 항상 아래쪽에 위치해야 한다.
(손님이 계단에서 넘어지는 경우를 대비하기 위함. 올라가는 경우: 뒤/내려오는 경우: 앞)
- 스커트 차림의 여성 방문객일 경우 올라갈 때는 남성이 앞서서 안내하고, 내려갈 경우에는 뒤에서 안내한다.
- 계단에 난간이 있을 경우는 손님이 손잡이를 잡도록 배려한다.
- 계단을 오가는 다른 사람을 고려하여 한 방향으로 안내한다.

에스컬레이터에서의 안내

- 에스컬레이터 안전사고에 대비하여 손잡이를 꼭 잡도록 안내한다.
- 안내자를 놓치는 경우가 발생할 수 있으므로, 손님을 먼저 타게 하고 안내자가 뒤따르도록 한다.

엘리베이터에서의 안내

- 안전에 유의하며 안내하고, 엘리베이터를 타기 전에 미리 가는 층을 구두로 안내한다.
- 엘리베이터를 탈 때는 버튼을 조작하기 위해 손님보다 먼저 타고, 버튼을 잘 누른 상태에서 안전하게 손님의 탑승을 돕는다.
- 엘리베이터에서 내릴 때는 손님에게 "도착했습니다."라고 구두로 안내한 후에 열림 버튼을 누르고, 방문객을 먼저 내리게 한 뒤 안내자가 재빨리 내려 안내한다(안내자가 먼저 내리고 엘리베이터의 오작동으로 손님이 엘리베이터에 탄 상태에서 문이 닫히는 일이 발생하지 않도록 한다).
- 엘리베이터의 가장 좋은 위치는 입구를 앞쪽으로 했을 때 왼쪽 안쪽이며 안내자는 작동 버튼 쪽에 서서 안내한다.
- 엘리베이터의 안이 혼잡한 경우에는 "–층인 다음 층에 내립니다."라고 미리 이야기 해주면 손님도 배려할 수 있고 주위 사람들에게도 미리 양해를 구할 수 있다.
- 엘리베이터 안쪽에 위치하게 되어 버튼을 누를 수 없는 경우는 버튼 앞에 선 사람에게 "–층 부탁합니다."라고 정중히 부탁한다.
- 엘리베이터 내에서 큰소리로 옆 사람과 떠들거나 휴대폰을 사용하는 것은 실례이다.
- 탑승자가 많아 복잡한 경우는 서로 자리와 탑승을 배려하고, 부득이 비집고 내려야 하는 경우는 "죄송합니다. 내립니다."하고 양해를 구하는 것이 바람직하다.

CHAPTER 1

CHAPTER 2

CHAPTER 3

CHAPTER 4

CHAPTER 5

CHAPTER 6

CHAPTER 7

CHAPTER 8

CHAPTER 9

문에서의 안내

- 회전문의 경우 손님을 먼저 들어가게 하고 안내자는 뒤에서 밀어준다.
- 당겨 여는 문은 손잡이를 잡고 열어 문과 안내자가 일직선이 되는 상태에서 손님을 안으로 안내한다.
- 밀어 여는 문은 안내자가 손잡이를 잡고 밀고 나가 문과 일직선이 되는 상태에서 손님을 안내한다.
- 들어가고 나오는 경우 모두 안내자가 여닫으며, 손님이 들어가고 나올 수 있도록 배려하며 안내한다.

8. 방문객 응대 매너

1) 방문객 응대의 중요성

(1) 비즈니스에서 고객이 기업의 첫인상을 결정하는 것은 그 기업에서 처음 만나는 직원이며, 그 직원의 안내와 접대에 따라 호감과 비호감이 결정되는 중요한 순간이다.

(2) 기업 방문객에 대한 정중함과 품격 있는 매너는 회사에 대한 호의와 직결되고 차후 전체적 이미지에 영향을 주므로, 정중함과 편안함을 더한 매너를 제공하는 것이 중요하다.

(3) 방문객의 옷차림이나 외모만 보고 그 사람의 신분을 판단하지 않도록 한다.

(4) 방문객을 만족시키기 위한다는 명목으로 지나친 친절은 오히려 상대방에게 부담을 줄 수 있으므로, 상대방이 원하는 방향으로 응대할 수 있도록 융통성을 가져야 한다.

2) 방문고객 응대의 기본

자세	자세는 바르게 하여 가슴을 펴고 능동적인 자세를 보이도록 한다.
표정	환대하는 표정과 밝고 자연스러운 표정 연출을 한다.
시선	부드러운 시선으로 고객과 눈을 맞추도록 하고, 시선을 다른 데에 두고 오래 있지 않도록 주의한다.
복장	깔끔하고 준비된 복장으로 자신감을 표현하고, 방문고객에게 불쾌감을 주는 청결하지 못한 복장은 삼간다.
대화	명확하고 부드러운 말씨로 응대하며, 호칭이나 경어를 알맞게 사용하여 존중받는 마음이 들도록 응대한다.

9. 차 접대 매너

방문 고객과 차를 함께 하는 것은 긴장감을 풀어주고 대화 분위기를 편안하게 하는 효과가 있다.

1) 차 응대 전 준비사항
(1) 차를 내는 사람, 찻잔과 차 도구의 청결상태 확인
(2) 방문고객의 차 기호 확인
(3) 계절과 날씨에 따른 차의 종류 구비 상태 확인

2) 차 응대 매너
(1) 차는 가급적 빨리 내는 것이 좋다.
(2) 차는 계절과 날씨, 방문 고객의 기호에 맞추어 내도록 한다.
(3) 뜨거운 차의 온도는 70-80도, 차가운 음료는 얼음을 띄워 내는 것이 좋다.
(4) 찻잔의 70-80% 정도를 채워 넘치지 않게 내는 것이 좋다.
(5) 고객에게 먼저 차를 건네고 고객의 오른쪽에 위치하도록 차를 놓는다.
(6) 고객이 여러 명일 경우는 '연장자 순, 상석 순, 오른쪽 방향 순'으로 차를 낸다.
(7) 찻잔은 쟁반에 받쳐 들고 가서 차 받침을 잡고 낸다.
(8) 테이블에서 10 cm 정도 안에 위치하도록 차를 내고, 손잡이 방향이 고객의 오른쪽으로 향하게 한다.
(9) 뜨거운 차인 경우 "뜨겁습니다."라고 말하며 낸다.
(10) 혹시 잘못하여 차를 쏟는 경우 당황하지 말고, "죄송합니다."라고 사과를 드린 후 재빨리 다시 차를 내어오도록 한다.
(11) 오랫동안 이야기가 길어질 경우는 더 차를 권하거나 물을 드리는 것이 좋다.
(12) 차를 내고 나올 때는 가볍게 약례를 하고, 등을 보이지 않도록 뒤로 2-3걸음 뒤로 물러선 후 돌아서 나온다. 이때 대화에 방해되지 않도록 주의한다.

커뮤니케이션이론

CHAPTER 1

CHAPTER 2

CHAPTER 3

CHAPTER 4

CHAPTER 5

CHAPTER 6

CHAPTER 7

CHAPTER 8

CHAPTER 9

10. 전화응대 매너

1) 전화응대의 중요성

(1) 고객과 소통하는 첫 번째 관문이므로, 마음을 담아 성의껏 응대해야 한다.

(2) 얼굴을 보지 않고도 목소리를 통하여 상대의 기분을 전달받을 수 있다.

(3) 전화는 음성에만 의존하는 커뮤니케이션이기 때문에 청각적인 부분에 민감하며, 잘못 전달되면 오해를 살 수 있기에 더욱 예의를 갖출 필요가 있다.

(4) 전화를 받는 목소리, 태도, 응대 요령, 화법 등은 개인의 인격과 품성을 나타내어 타인에게 평가받는 기준으로 작용하지만 나아가서는 그 사람이 속한 조직의 신뢰성을 판단하는 기준이 되므로 주의가 필요하다.

2) 전화응대의 특성

(1) 1:1의 쌍방향 커뮤니케이션

① 고객 개개인의 개별서비스 응대가 가능하다.

② 고객의 욕구를 정확하고 신속하게 파악할 수 있으며, 효율적인 응대가 가능하다.

(2) 즉시성과 융통성

① 수화기를 드는 순간이 바로 고객과의 커뮤니케이션의 시작이다.

② 고객의 반응에 따라 즉시 대처가 가능하다.

③ 예고 없이 찾아오는 고객이므로 언제나 즉시 응대 자세가 필요하다.

④ 전화로 응대하는 사이에 가능한 문제가 해결되어야 하기에 어느 정도 융통성 있는 해결 방안을 가지고 있어야 한다.

(3) 경제성

① 방문이나 대면에서 응대는 시간과 경제적 비용이 드는 것에 비해, 전화 응대는 상대적으로 저렴하다.

② 고객이 전화를 건 상태라면 비용이 고객에게 발생하기에 소요된 시간만큼의 서비스를 받고자 하므로 주의해야 하며, 통화가 길어질 경우에는 기업 입장에서 다시 전화를 걸어 고객의 비용 발생을 줄이도록 한다.

(4) 예기치 않은 문제가 발생

① 보이지 않는 상황에서의 응대이기에 작은 실수에도 고객의 반응이 달라질 수 있으며, 예기치 않은 문제가 발생할 수 있다.

② 통화 상태나 수발신 상태의 문제가 발생할 수도 있다.

3) 전화 응대 구성 요소

(1) 음성

전화 통화의 경우 86%가 목소리 톤, 14%가 단어로써 언어의 전달이 이루어지므로 음성 관리가 중요하다. 밝고 맑은 목소리, 건강하고 힘있는 목소리로 자신감과 신뢰감을 주도록 해야한다.

(2) 속도

고객이 말하는 속도에 보조를 맞추면 통화를 하면서 서로의 간극을 줄이고 일치감을 형성할 수 있다.

(3) 억양

목소리에 높낮이를 줌으로써 고객이 원하는 내용에 관심의 정도를 나타낼 수 있으며 고객의 집중도를 높이고 상담 분위기에도 활기를 줄 수 있다.

(4) 명확한 발음

전화 응대 시 불명확한 발음은 고객에게 혼란을 주며 잘못된 내용을 전달할 수 있다.

(5) 띄어 읽기

띄어 읽기에 따라 문장의 전체적인 내용도 달라진다. 중요한 것은 듣는 상대방이 생각할 수 있는 사이를 주는 것이다.

(6) 효과적인 의사소통의 단어 선택

고객에게 확신을 줄 수 있는 긍정적인 표현과 이해하기 쉽고 단순한 통상적인 단어를 사용한다. 또한, 고객의 욕구와 문제, 흥미에 관심을 보여줄 수 있는 단어를 사용하며, 의뢰형의 단어를 사용하되 칭찬, 기쁨, 감사를 표현할 수 있는 단어를 사용하는 것이 중요하다.

4) 전화응대의 3요소

친절	• 적극적으로 경청한다. • 고객이 자신의 대화에 성의를 다하고 있다고 느낄 수 있도록 친절히 응대한다. • 호칭이나 단어 선택, 경어 사용 등 정중한 태도를 끝까지 유지하며 응대한다.
신속	• 전화벨이 3번 이상 울리기 전에 받는다. • 간단명료하게 안내한다. • 기다리게 하지 않는다.
정확	• 명확하게 발음하며, 중요한 부분은 강조한다. • 상대방이 이해하기 쉽도록 정확한 표현을 한다. • 복창으로 더블 체크하며 요청사항을 메모한다(특히 숫자, 영어 알파벳, 장소, 성명 등). • 필요한 내용은 메모하면서 정확히 이해하는지를 확인하면서 응대한다.

5) 발신 시 매너

전화 걸기 전 준비사항	• 상대방의 시간, 장소, 상황 등을 생각한다. • 비즈니스 전화는 오전 9시부터 6시 사이에 하는 것이 일반적이다. • 아침 업무를 준비하는 이른 시간, 점심시간, 퇴근시간 직전에는 가급적 전화를 삼간다. • 통화할 용건, 순서, 전화번호를 확인하고 필요한 자료를 준비한다. • 상대방의 수신음이 5–6회 이상 울려도 받지 않는 경우 끊는다.
전화 거는 매너	• 왼손으로 전화를 들고 오른손으로 메모 준비를 한다. • 전화 거는 신호가 들리고 전화를 받으면 인사하고 소속과 이름을 밝힌다. • 통화할 사람이 아닌 다른 사람이 받을 경우는 통화할 대상과의 연결을 정중히 부탁한다. • 일방적인 의사전달이 되지 않도록 하고 말의 속도를 상대방의 이해 정도에 맞추어 이야기한다. • 상대방에게 전하고자 하는 내용이 바르게 전달되었는지 확인을 한다. • 전화를 부탁할 경우는 상대방이 번호를 알고 있더라도 다시 한번 남기도록 한다. • 통화할 상대가 없는 경우 전화 건 목적을 분명히 하여 자신이 다시 걸 것인지, 회신을 원하는지를 전달하고 거는 사람의 이름, 소속, 전화번호를 다시 한 번 남기도록 한다. • 대화 내용에 어울리는 끝인사를 한다. • 전화의 종료는 거는 쪽에서 하는 것이 원칙이므로 조용히 전화기를 내려놓는다(통화한 상대가 지위가 높거나 연장자, 고객인 경우는 반드시 상대방이 전화기를 내려놓는 소리를 확인한 후에 전화기를 내려놓는다).

6) 수신 시 매너

전화받기 전 준비사항	– 전화응대 요령, 회사의 상품과 서비스 최신정보 등 업무 지식과 자료가 준비되어 있어야 한다. – 전화기 옆에 메모 도구가 있는지 확인한다.
전화받는 매너	• 전화벨이 3번 울리기 전에 받는다. • 왼손은 전화를 받고 오른손은 메모할 자세를 취한다. • 전화 받기 전 목소리를 가다듬고 밝은 목소리로 인사와 소속, 이름을 밝힌다. • 상대방이 자신을 밝히면 다시 한번 인사한다. • 용건을 성의 있게 경청하며 메모한다. • 용건이 끝났음을 확인한 후 통화내용은 복창한다(특히 숫자, 시간, 장소, 성함 등 중요한 내용은 반드시 복창). • 통화할 대상이 다른 사람인 경우 전화를 바꿔주기 전 담당자에게 전화를 건 사람의 성명과 회사를 미리 알려주도록 한다. • 담당자가 아니거나 정확한 답변이 어려운 경우 용건을 확인한 후 다음 담당자에게 정확히 인계한다. • 전화를 종료해야 하는 시점에서는 마무리 인사를 하고 상대방이 수화기를 내려놓은 후에 조용히 전화를 끊는다.

7) 상황별 전화응대

(1) 전화 연결을 요청하는 경우

① 지명인을 확인하고 연결한다.

② 연결할 때는 연결음이 상대방에게 들리지 않도록 홀드 버튼을 누르거나 송화구를 손으로 막고 연결한다.

③ 연결 중 끊어질 경우를 대비해서 상대방에게 지명인의 직통 번호를 알려준다.

④ 기다려 달라는 양해의 말을 전달하고, 연결되면 감사 인사를 한 후 조용히 수화기를 내려놓는다.

(2) 지명인과 바로 연결해줄 수 없는 경우

① 부재 중임을 알리고 언제 돌아오는지 등을 알려준다. 단 부재가 개인적인 사정인 경우 가능한 말 하지 않는다.

② 지명인이 통화 중이거나 회의 중인 경우, 바로 전화를 받을 수 없는 상황임을 상대방에게 알려준다.

③ 메모를 남길지 여부를 묻고 메모를 남길 경우 용건, 시간, 전화 건 사람, 연락

처, 전화 받은 사람들을 메모한다.
④ 전화를 건 당사자에게 지명인이 전화할지, 당사자가 다시 전화할지 의향을 물어봐야 한다.

(3) 전화가 잘 들리지 않는 경우
① 전화 상태가 좋지 않음을 알리고 다시 통화할 수 있도록 한다.
② 전화를 먼저 건 쪽에서 다시 하는 것이 맞으나 상대방이 상사이거나 고객일 경우 연락처를 알고 있다면 내가 다시 거는 것이 바람직하다.
③ "뭐라고요?", "잘 안 들리는데요." 등의 표현은 쓰지 않고 "통화 상태가 좋지 않습니다.", "좀 멀게 들립니다." 등의 표현으로 상대방의 탓이 아닌 전화기 탓으로 이야기한다.

(4) 병원의 위치를 묻는 경우
① 고객의 현재 위치와 이용할 교통편을 물어본 후 상황에 맞게 안내한다.
② 상황에 따라 약도를 휴대전화나 팩스 이메일로 전송하도록 한다.

(5) 전화응대 중 다른 전화가 걸려온 경우
① 전화음이 통화에 방해되기 때문에 통화 중인 고객에게 양해를 구하고 일단 받도록 한다.
② 상대를 확인하고 긴급한 상황이 아니라면 먼저 걸려 온 전화를 받고 있음을 알리고, 통화 종료 후 다시 전화 드리겠다고 한다.

8) 전화통화 체크리스트

	항목	세부내용
음성 품질	음성	음성이 밝고 친절하며 음성의 크기가 작지 않아 잘 전달되고 있는가?
	발음	자연스럽고 차분하게 똑똑히 말하며 발음이 분명하여 이해하기 쉬운가?
	속도	말할 때 정상적인 속도를 유지하는가?(빠른가? 또는 느린가?)
	습관	말은 표준어를 바르게 사용하며, 망설이거나 끝말을 흐리지는 않는가?
상담 능력	적극성	고객 응대 시에 적극적이고 성실한 태도로 상담하고 있는가?
	친절성	바르고 안정된 자세로 통화하는가? 전화응대 기본 매너를 갖추었는가? 최초 응대 시의 인사와 종료 인사, 자기이름 소개를 잘하고 있는가?
	해결성	고객의 요구를 정확히 파악하여 고객이 이해하기 쉽게 설명하는가?
	정확성	고객의 문의사항에 대해 정확한 답변을 제공하고 있는가?
	고객지향성	고객의 말을 경청하며 상대의 반응을 확인해 가면서 이야기를 하는가?
	전문성	상담에 필요한 충분한 지식을 가지고 있는가?
	컴플레인	고객의 불만사항에 대해선 신속하게 해결방안을 모색하고 있는가?
	고객 만족	상담 종료 시 고객이 "고맙습니다.", "매우 친절하시네요.", "감사합니다."하는 고객 만족의 반응을 보이는가?

01 다음 중 에티켓에 대한 설명 중 <u>잘못된</u> 것은?

① 에티켓은 원활한 사회생활을 위한 사회적 약속이다.
② 에티켓은 프랑스어로 우리나라의 예의범절과 유사한 말이다.
③ 상대방에 대한 존중을 바탕으로 자신과 타인과의 생활에 있어 지켜야 하는 질서이다.
④ 법적인 구속력을 지닌다.

정답 **4**

에티켓은 법적인 구속력은 없지만 원만한 사회생활을 위하여 지켜야 할 기본적인 규범에 해당한다.

02 다음 중 전화응대의 바른 자세에 해당되지 <u>않는</u> 내용은?

① 신호가 3번 울리기 전에 받고, 예의 바르게 응대한다.
② 전화를 받는 경우 종료 시점에서 상대방보다 수화기를 먼저 내려놓아도 된다.
③ 전화를 걸기 전에 중요내용, 이야기 순서, 필요자료를 미리 준비한다.
④ 부드러운 음성과 정중한 자세로 응대한다.

정답 **2**

전화를 종료해야 하는 시점에서는 마무리 인사를 하고 상대방이 수화기를 내려놓은 후에 조용히 전화를 끊는다.

03 다음 명함 매너 중 옳은 것은?

① 손윗사람이 아랫사람에게 먼저 건네는 것이 에티켓이다.
② 명함을 받은 후 바로 집어넣어도 상관없다.
③ 어려운 한자나 영어가 있더라도 그 자리에서 물어봐선 안 된다.
④ 본인이 방문자인 경우 먼저 명함을 건네는 것이 에티켓이다.

정답 **4**

① 아랫사람이 손윗사람에게 먼저 건네는 것이 에티켓이다.
② 명함을 받은 후 바로 집어넣는 것도 실례이다.
③ 어려운 한자나 영어는 그 자리에서 물어보도록 한다.

CHAPTER 1
CHAPTER 2
CHAPTER 3
CHAPTER 4
CHAPTER 5
CHAPTER 6
CHAPTER 7
CHAPTER 8
CHAPTER 9

04 다음 중 호칭과 경어 사용 매너 중 옳은 것은?

① 상사의 지시를 전달할 때에는 '님'을 붙여서 사용하지 않아도 된다.
② 문서에도 상사의 존칭은 사용해야 한다.
③ 자신보다 윗사람에게 "수고하셨습니다."라는 인사를 하는 것은 실례이다.
④ 연장자라 할지라도, 부하라면 예우는 필요하지 않다.

정답 **3**

① 상사의 지시를 전달할 때에는 '님'을 붙여서 사용한다
② 문서에는 상사의 존칭을 생략한다.
④ 부하라도 연장자일 때에는 적절한 예우가 필요하다.

05 방문객 안내 시 올바른 매너는?

① 방향을 바꿀 때 미리 안내할 필요 없다.
② 복도에서 안내할 때는 2-3보가량 비스듬히 앞에서 안내한다.
③ 엘리베이터에서 못다 한 업무 이야기를 하는 것은 무관하다.
④ 엘리베이터에 아무도 없을 때는 상사가 먼저 탑승한다.

정답 **2**

① 방향을 바꿀 때 미리 안내한 후 손으로 방향을 안내한다.
③ 엘리베이터에서 통화나, 업무에 대한 이야기는 하지 않는다.
④ 엘리베이터에 아무도 없을 때는 상사보다 먼저 탑승한다.

06 인사 매너에 대한 설명으로 옳지 <u>않은</u> 것은?

① 약례는 친근하거나 가까운 사람 하급자에게 하는 인사이다.
② 보통례는 가장 일반적인 인사법으로 15도 정도 상체를 구부려 인사한다.
③ 정중례는 가장 공손한 인사로 상체를 45도 구부려 인사한다.
④ 협소한 장소나, 복도, 화장실에서 마주치는 경우 약례를 한다.

정답 **2**

보통례는 가장 일반적인 인사법으로 30도 정도 상체를 구부리고 시선은 1미터 앞쪽을 바라본다.

07 소개 매너에 대한 설명으로 옳지 <u>않은</u> 것은?

① 소개 시 남성을 여성에게 먼저 소개한다.

② 소개 시 연소자를 연장자에게 먼저 소개한다.

③ 소개가 끝나면 이성 간일 경우 악수를 한다.

④ 연소자가 연장자에게 소개되었을 때는 상대방이 악수를 청하기 전에 먼저 손을 내밀지 않는다.

정답 3

소개가 끝나면 남성 간에는 악수를 하고, 이성 간일 경우 여성은 약례로 대신한다.

08 전화응대 특성에 대한 설명으로 옳지 <u>않은</u> 것은?

① 전화 응대는 쌍방향 커뮤니케이션이다.

② 고객 개개인의 개별 서비스 응대는 불가능하다.

③ 보이지 않은 상황에서 예기치 않은 문제가 발생할 수 있다.

④ 방문이나 대면에 비해 상대적으로 저렴하다.

정답 2

전화응대는 고객 개개인의 개별서비스 응대가 가능하다.

CHAPTER

이미지 메이킹

Dental Management Officer

이미지 메이킹

Dental Management Officer

02

1. 이미지에 대한 이해

1) 이미지의 정의

"특정 대상의 외적 형태에 대한 인위적인 모방이나 재현"
어떤 대상에 대해 가지는 신념, 아이디어 인상의 총체

2) 이미지의 어원

(1) 이미지는 그리스어 'Eikon[상(像)]'과 영어 'Reasemblance(닮음)'의 뜻이 있다.
(2) 라틴어의 Imago에서 유래된 'imitari(모방하다)'와 관련 있다.

3) 이미지의 속성

(1) 개인의 지각적 요소와 감정적 요소가 결합되어 나타나는 주관적인 것이다.
(2) 이미지란 무형적인 것으로 대상에 대한 직접적인 경험 없이도 형성된다.
(3) 주관적인 평가이기 때문에 명확히 개념을 정의 내려 연구하는데 어려움이 있다.
(4) 시각적인 요소 이외의 수많은 감각에 의한 이미지도 포함한다.
(5) 인식 체계와 행동의 동기 유인 측면에서 매우 중요한 역할을 한다.
(6) 형성된 이미지는 행동 경향을 어느 정도 규정하는 역할을 하고, 정보를 받아 들이는 경우에는 '여과 기능'을 발휘한다.
(7) 이미지는 학습(경험)이나 정보에 의해 변용된다.
(8) 인간의 커뮤니케이션 행위에 의해 형성, 수정, 변화되어 간다.

4) 이미지의 분류

외적 이미지	• 외형상 표면적으로 드러나는 이미지 • 피부, 컬러, 메이크업, 헤어 패션 등
내적 이미지	• 심리적, 정서적인 특성들이 고유한 형태로 형성되어 있는 상태 • 신념, 생각, 감정, 동기, 인성, 자신감 등
사회적 이미지	• 특정한 사회 속에서 성립 • 리더십, 매너, 에티켓, 행동 등

5) 이미지의 형성과정

지각 과정	• 지각은 타인의 성격, 욕구, 사고 등의 인지를 말한다. • 환경에 대해 의미를 부여하는 과정으로 주관적이기 때문에 동일한 대상에 대해 다른 이미지를 부여한다.
사고 과정	• 지각하는 대상에 대한 의미부여, 평가 등 지각 대상에 대한 모든 정보를 획득하고 해석하는 과정이다. • 과거의 기억과 현재의 지각에 대한 이미지를 형성한다.
감정 과정	• 지각과 사고 이전의 감정에 의해 반응하는 과정이다. • 감정적 반응은 이미지 형성의 확장 효과를 가져온다.

6) 이미지의 구성

Intelligence 지적 이미지
Mask 표정 이미지
Attitude 태도 이미지
Grooming 복장 이미지
Emotion 감성 이미지
Voice 음성 이미지

7) 이미지 관리의 4단계 프로세스

1단계: 이미지 점검하기	자신의 이미지를 객관적으로 바라본다. 자신의 장단점을 정확하게 파악한다.
2단계: 이미지 콘셉트 정하기	자신이 원하는 이미지 콘셉트를 정한다. * 콘셉트 정할 때의 유의사항 • 직업인으로서 본인에게 요구되는 것 • 병원에서 추구하는 이미지 • 자신이 실현하고자 하는 가치 • 궁극적인 목표설정
3단계: 좋은 이미지 만들기	원하는 이미지를 만들기 위한 방법을 고민한다. 자신이 가진 장점은 강화하고 단점은 보완한다.
4단계: 이미지 내면화 하기	외부로 드러나는 모습이 전부가 아님을 기억한다. 일시적 이미지가 아닌 진실된 이미지가 될 수 있도록 노력한다.

2. 이미지 메이킹

1) 이미지 메이킹의 정의

(1) 이미지 메이킹의 사전적인 의미는 '자신의 이미지를 상대방 혹은 일반인에게 각인시키는 일'이다.

(2) 개인이 추구하는 목표를 이루기 위해 자기 이미지를 통합적으로 관리하는 행위이다.

(3) 자신의 사회적 지위에 맞게 외적 이미지뿐만 아니라 내적 이미지까지 최상으로 만드는 것이다.

(4) 주관적인 자아와 객관적인 자아 사이의 차이를 최대한 좁혀 객관적 자아상을 확보하려는 노력이다.

2) 이미지 메이킹 요인

(1) 마인드
① 이미지 메이킹을 왜 해야 하는지에 대한 필요성을 인식하는 것이 우선이다.
② 고객 접점에서의 직원의 이미지는 자신이 속한 기업의 대표 이미지임을 인식해야 한다.
③ 긍정적이고 책임감 있는 마인드 함양이 필수 요소이다.

(2) 표정
① 첫인상 7초의 법칙에서와 같이 밝은 표정과 미소는 첫인상의 시작이다.
② 표정은 그 사람의 마음의 문이며 긍정적인 마인드로부터 밝은 표정이 표출된다.
③ 표정의 주요 포인트
• 상황과 대상에 맞는 표정을 짓고 있는가: 상대방과 표정을 비슷하게 한다.
• 턱을 너무 들거나 당기고 있지 않은가: 느슨한 느낌을 준다.
• 바른 시선으로 고객을 바라보고 있는가: 시선이 가파르지 않게 간격을 유지한다.

(3) 단정한 용모와 복장
단정하고 청결하게 그리고 조화를 유지하며, 전문가로서의 신뢰감을 주도록 한다.

① 복장
  • 병원의 분위기와 어울리게 한다.
  • 양말은 유니폼의 색상에 맞게 한다.
  • 세탁하여 깔끔하게 유지한다.
② 헤어스타일
  • 머리가 청결해야 한다.
  • 지나치게 염색하지 않은 자연스러운 머리색이어야 한다.
  • 앞머리가 눈을 가리거나 옆머리가 흘러내리지 않아야 한다.
  • 뒷머리는 머리 망으로 고정되어 있거나 정리가 잘 되어 있어야 한다.
③ 메이크업
  • 자신의 피부 톤에 맞고 진하지 않은 자연스러운 화장이 좋다.
  • 눈썹 색과 모양이 부드러운 인상을 주는 것이 좋다.
  • 아이섀도 색이 너무 진하거나 펄이 들어 있지 않은 것이 좋다.

• 화려한 색상의 매니큐어를 사용하지 않아야 한다.
• 손이 트지 않고 손톱 주변 정리가 잘 되어 있어야 한다.

(4) 태도

신뢰감을 줄 수 있는 태도는 인사 자세, 걸음걸이, 앉기와 서기, 안내 자세 등의 모든 행동 예절을 포함한다.

(5) 말씨

상대방에게 신뢰를 줄 수 있는 화법과 올바른 경어 사용 등이 대화 예절에 포함된다.

3) 이미지 메이킹의 효과

(1) 외적 이미지를 강화하여 긍정적인 내적 이미지를 끌어낸다.
(2) 열등감을 극복하고 자신감을 높여 자아존중감이 형성된다.
(3) 대인관계 능력이 향상된다.
(4) 참 자아(자신만의 개성과 독특성)를 발견하여 정체성을 확보할 수 있다.
(5) 자신의 특성과 진가를 신분과 역할에 맞도록 브랜드화 할 수 있다.
(6) 바람직한 개인의 삶의 질을 향상하는 데 기여한다.

4) 이미지 메이킹의 6단계

1단계 – 자신을 알라 (know yourself)	• 자신이 가지고 있는 장단점을 분류하여 파악한다.
2단계 – 자신의 모델을 선정하라 (Model yourself)	• 자신의 모델을 선정하는 것은 자신의 목표를 수립하는 것이다. • 모델을 모방하는 과정을 통해 자신의 개성이 드러날 수 있도록 노력한다.
3단계 – 자신을 계발하라 (Develope yourself)	• 자신만이 가진 개성이나 장점을 더욱 가치 있게 만들어 상대방이 긍정적인 관심을 갖도록 해야 한다. • 이를 토대로 장점은 살리고 단점은 보완할 수 있는 전략을 구사한다.
4단계 – 자신을 포장하라 (Package yourself)	• 자신의 이미지를 상황과 대상에 맞도록 표현한다. • 복장, 화장 등과 같은 외면적인 것부터 교양, 언어 구사력과 같은 내면적인 것을 함께 포장할 수 있어야 한다.
5단계 – 자신을 팔아라 (Market yourself)	• 자신의 가치를 인식시키고 높은 평가를 받을 수 있도록 이미지 형성 요소를 적절히 사용하여 자신을 명품화한다.
6단계 – 자신에게 진실하라 (Be yourself)	• 자신 혹은 타인을 진실된 마음으로 대함으로써 신뢰 관계를 형성한다.

CHAPTER 1
CHAPTER 2
CHAPTER 3
CHAPTER 4
CHAPTER 5
CHAPTER 6
CHAPTER 7
CHAPTER 8
CHAPTER 9

✚ 더 알아보기

[조해리 창]

조해리의 창(Johari's window)은 나와 타인과의 관계 속에서 내가 어떤 상태에 처해 있는지를 보여주고 어떤 면을 개선하면 좋을지를 보여주는 데 유용한 분석 틀이다. 조해리의 창 이론은 조셉 러프트(Joseph Luft)와 해리 잉햄(Harry Ingham)이라는 두 심리학자가 1955년에 한 논문에서 개발했다. 조하리(Johari)는 두 사람 이름의 앞부분을 합성해 만든 용어이다.

조해리 창은 창틀의 크기와 형태가 고정된 것이 아니라 상호 신뢰수준과 자아 개방, 피드백의 교환 정도에 따라 유동적으로 결정된다고 본다. 조해리 창에 의하면, 자신이 아는 부분과 모르는 부분이 있고, 타인이 아는 부분과 모르는 부분이 있는데, 이들의 결합관계에서 공개적 부분, 맹목적 부분, 비공개적 부분, 그리고 미지적 부분의 4개 영역이 생기게 된다. 효과적인 의사소통을 위해서는 창의 크기와 형태를 변화시키는 노력이 필요하다.

이때, 자아 개방과 피드백이 중요한데 자신이 느끼는 것을 상대방에 알려주고 상대방이 알려져 있지 않은 사실을 이야기해 줌으로써 맹목적 부분과 비공개적 부분이 줄어들고 미지의 부분 또한 의식 수준으로 나타나 공개적 부분이 늘어날 것이다.

구분	자신이 아는 부분	자신이 모르는 부분
타인이 아는 부분	• 공개적 부분 • 서로 잘 알고 상호작용하기 때문에 개방적이고 효과적인 의사소통이 가능해진다. 성숙한 인간관계 등을 통하여 이 부분의 넓이를 넓혀 나가면 효과적인 의사소통이 수월해질 것이다.	• 맹목적 부분 • 타인들로부터 피드백을 받지 못할 때 이 부분이 넓어진다. 이때 자신의 주장을 내세우고 타인의 의견을 불신하고 비판하며 수용하려 하지 않기 때문에 효과적인 의사소통이 이루어지지 않는다.
타인이 모르는 부분	• 비공개적 부분 • 자신은 알고 있으나 다른 사람은 모르는 부분으로, 자신의 의견이나 감정을 표출하지 않고 타인으로부터 정보를 얻으려는 경향이 커져 효과적인 의사소통이 이루어지지 않는다.	• 미지적 부분 • 자신과 타인 모두 모르는 부분으로, 자신의 견해를 표출하지 않을 것이며 타인으로부터 피드백을 받지도 못할 것이다. 이러한 상태에서는 정상적인 의사소통이 이루어지기 어렵고 자기 폐쇄적 형태로 이어질 가능성이 크다.

5) 이미지 형성에 영향을 미치는 효과

(1) 초두 효과(Primacy Effect)

① 처음 입력된 정보가 나중에 습득하는 정보보다 더 강한 영향을 미치는 현상이다. 인상 형성에 첫인상이 중요하다는 것으로 '첫인상 효과'라고도 한다.

(2) 최신 효과(Recency effect)

① 초두 효과와 반대의 의미로 시간적인 흐름에서 가장 마지막에 제시된 정보가 인상 형성에 강력한 영향을 미친다는 것이다.

② 미국 템플대학교 심리학 교수 로버트 라나(Robert lana)가 제시한 용어로 메시지에 담긴 내용의 친숙도에 따라 초두 효과 또는 최신 효과가 나타난다고 했다.

(3) 맥락 효과

① 처음 내린 판단 기준에 따라 이후에 입력되는 정보들에 대한 맥을 잇게 된다는 것이다.

② 처음에 긍정적으로 판단을 내렸을 경우, 같은 대상의 다른 정보가 들어와도 긍정적인 방향으로 생각하려는 경향이 생기게 된다.

예: 온화한 사람이 머리가 좋으면 지혜로운 사람으로 보이고, 이기적인 사람이 머리가 좋으면 교활한 것으로 해석된다.

(4) 후광 효과

어떤 대상이나 사람에 대한 두드러진 특성이 그 대상의 다른 세부 특성을 평가하는 데에도 영향을 미치는 현상이다.

예: 호감형인 사람은 매력적이고 지적일 것이다.

매력적인 사람이 못생긴 사람에 비해 대인관계, 적극성, 지적 능력 등에서 유리한 평가를 받는다.

(5) 악마 효과

① 정적인 모습, 열등한 외모 때문에 그 사람의 다른 측면까지도 부정적으로 평가되는 현상이다.

② 후광 효과의 반대라고 볼 수 있으며, 편견이 이미지 형성에 영향을 미치는 효과이다.

(6) 현저성 효과(=독특성 효과)

상대방이 제시하는 여러 정보에 대해 공평하게 주의를 기울이는 것이 아니라 현저하게 주목받는 면에 의지하는 것을 말한다.

(7) 부정성 효과

① 부정적인 특징이 긍정적인 특징보다 인상 형성에 더 강력한 영향을 주는 현상이다.

② 사람들은 타인의 인상을 평가할 때 긍정적인 정보보다는 부정적인 것에 더 비중을 둔다.

(8) 호감 득실 효과

① 상대방이 자신을 싫어하다가 좋아하게 되면 자신이 이득을 얻는 것 같아 더 좋아지고, 좋아하다가 싫어하게 되면 많은 것을 잃은 것 같아 더 싫어지는 현상이다.

② 자신을 처음부터 좋아해 주던 사람보다, 자신을 싫어하다가 좋아하는 사람을 더 좋아하게 된다.

3. 첫인상과 표정 태도 이미지

1) 첫인상

(1) 첫인상의 개념

① 첫인상은 처음에 들어온 이미지가 나중에 무엇을 판단하는데 영향을 주는 것으로써, 다른 사람에게 비추어지는 자신의 모습을 말한다.

② 첫인상은 처음 만난 지 2-10초 내에 결정된다.

③ 사람을 처음 만나서 받은 이미지는 머릿속에 남아 쉽게 사라지지 않는다.

④ 한번 결정된 부정적 첫인상을 바꾸는 데는 많은 노력과 시간이 소모되므로, 첫인상 관리는 매우 중요하다.

(2) 첫인상의 특징

신속성	첫인상이 전달되는 시간은 단 몇 초에 불과할 정도로 매우 짧다.
일회성	처음 한 번에 전달되어 각인된 정보는 평생 기억에 있으며, 변화되지 않는 일회성을 지닌다.
일방성	첫인상은 개인의 숨겨진 내면이나 성향을 확인하지 않고, 보이는 모습만을 통해 평가하는 사람의 판단과 가치관에 따라 일방적으로 인식되고 형성된다.
영향력	첫인상의 이미지는 머릿속에 오래 남으며, 좋지 않은 첫인상을 바꾸는 데에는 많은 시간과 노력이 필요하다.
연관성	실제와 다른 사람을 떠올리거나 이미 익숙하게 기억하고 있던 사물과 연상하거나 혼동하여 오류를 인식하는 경우가 발생한다.

(3) 첫인상의 결정요인

시각적 요소	• 메라비언(Mehrabian)은 일상생활에서의 의사소통에 있어서 55%의 시각적 정보가 첫인상을 형성한다고 하였다. • 시각적 요소는 표정과 복장, 제스처 등이며, 첫인상은 시각적 정보로 많은 부분이 결정되므로, 첫인상을 긍정적으로 만들기 위해서는 호감을 줄 수 있는 표정이나 자세가 중요하다. • 미소 띤 얼굴은 상대방을 편하게 하여 인간관계를 증진시키며, 다른 사람들에게 호감이 가는 인상을 줄 수 있다.
청각적 요소	• 청각적 요소는 음색, 억양, 음의 고저, 어간 등을 말하며, 의사소통에 있어서 38%의 청각적 요소가 첫인상을 형성한다.
언어적 요소	• 언어적 요소는 전달되는 말의 내용을 의미하고, 7%의 언어적 요소가 첫인상을 형성한다.

✚ 더 알아보기

[메라비언의 차트]

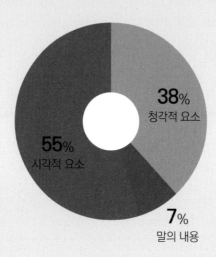

미국 캘리포니아 대학 심리학과 명예교수이자 심리학자인 앨버트 메라비언(Albert Mehrabian, 1939~)이 1971년에 출간한 저서 〈Silent Messages〉에서 발표한 이론으로 상대방에 대한 인상이나 호감을 결정하는데 있어서 목소리는 38%, 바디랭귀지는 55%의 영향을 미치는 반면, 말하는 내용은 겨우 7%만 작용한다는 이론을 말한다. 즉, 효과적인 소통에 있어 말보다 비언어적 요소인 시각과 청각에 의해 더 큰 영향을 받는다는 것이다.

(4) 좋은 첫인상 만들기
① 밝고 호감을 주는 표정을 짓는다.
② 활기차고 자신감 있는 모습과 자세를 유지한다.
③ 항상 자신이 구축하고자 하는 이미지를 생각하고 관리한다.
④ 상대방과 자연스럽게 시선을 맞춘다.
⑤ 깔끔하고 상황에 맞는 용모 복장을 맞춘다.
⑥ 상대방을 존중하고 배려하는 모습을 보인다.

2) 표정 이미지
(1) 표정의 개념과 중요성
① 표정은 내면의 어떠한 의미가 얼굴로 표출되는 것으로써, 감정을 드러내어 반영하므로 의사소통에 있어 매우 중요한 요소이다.

② 의도적으로 밝고 건강한 표정을 지으면 실제 그 사람의 감정도 바뀐다는 연구 결과가 있듯이, 의도적으로 밝은 표정을 짓는 노력이 필요하다.

③ 밝은 표정을 유지하기란 쉽지 않으므로, 다양한 표정 연출을 위해 꾸준한 연습이 필요하다.

④ 밝은 표정은 타인의 경계심을 없애고 친근감을 전달하여 좋은 커뮤니케이션을 이끄는데 중요한 도구로 작용한다.

(2) 얼굴표정-시선

① 시선은 자연스럽고 부드럽게, 우호적인 느낌으로 상대방을 바라보는 것이 중요하다.

② 대화의 상황에 따라 눈의 크기를 조절하며 대화의 의미를 주고받는다.

③ '마음의 창'이라는 눈은 좋은 커뮤니케이션의 수단이므로, 눈의 표정을 통해 좋은 관계를 이끌도록 노력한다.

④ 눈을 빤히 오래 집중해서 보면 상대방이 불편함을 느낄 수 있으므로, 눈과 미간, 코 사이를 번갈아 보는 것이 좋다.

(3) 밝은 표정의 긍정적 효과

마인드 컨트롤 효과	• 훈련에 의한 웃음이라도 뇌에는 긍정적 신호가 전달되므로, 기분이 좋아지고 마음의 평온함을 느낄 수 있다.
감정이입의 효과	• 밝은 표정은 자신을 바라보는 사람으로 하여금 긍정적 메시지를 전달하는 것이나 마찬가지이므로, 좋은 감정을 이입하는 효과가 있다.
호감 형성의 효과	• 밝은 표정을 통해 고객으로 하여금 호감과 친근감을 느끼게 하므로, 좋은 이미지를 형성하는데 도움이 된다.
실적 향상의 효과	• 일의 능률이 오르면 실적이 향상된다. • 밝은 표정의 세일즈맨이 경직된 표정의 세일즈맨보다 평균적으로 20% 더 판매실적이 높다.
신바람 효과	• 상호간의 밝은 표정은 업무의 효율성을 높이고, 분위기를 부드럽게 하여 직무 스트레스를 줄일 수 있다.
건강 증진의 효과	• 미소가 건강에 좋다는 여러 의학적 견해가 있다.

3) 태도 이미지

(1) 서 있는 자세의 이미지

① 등과 가슴을 곧게 펴고, 허리와 가슴을 일직선이 되도록 한다.
② 아랫배에 힘을 주어 단단하게 한다.
③ 시선은 상대방의 얼굴을 바라보고, 턱은 살짝 당기며 밝은 표정을 유지한다.
④ 여성은 오른손이 위로, 남성은 왼손이 위로 가게 공손한 자세로 선다.
⑤ 발꿈치는 붙이고, 발의 앞은 살짝 벌려 V자형을 한다.
⑥ 몸의 힘을 한쪽 다리에 두지 말고, 몸의 균형을 유지하여 선 자세를 유지한다.

(2) 앉은 자세의 이미지

① 의자에 앉는 경우는 의자의 균형을 잘 유지하며 허리를 곧게 펴고 앉는다.
② 발은 무릎을 붙인 상태에서 가지런히 당겨 의자 쪽으로 붙이고, 손은 무릎 위에 나란히 놓는다.
③ 등과 등받이 사이는 주먹이 하나 들어갈 정도로 간격을 두고 앉는다.
④ 고개는 반듯하게 들고, 턱은 당기며, 시선은 정면을 향하도록 하여 표정은 밝게 연출한다.
⑤ 몸 전체의 힘을 빼고 편안한 자세로 앉는다.

(3) 걷는 자세의 이미지

① 얼굴은 정면을 향하고, 턱을 앞으로 내밀거나 너무 당기지 말고, 자연스럽게 곧은 상태로 걷는다.
② 복근에 가볍게 힘을 넣고, 다리를 허리부터 내딛듯이 앞으로 나간다. 이때 몸의 중심을 허리에 둔다.
③ 착지한 발의 무릎은 편다.
④ 뒷발의 엄지발가락을 밀어 앞으로 몸을 내보낸다.

(4) 방향 안내 동작에서의 이미지

① 손가락을 모으고 손목이 꺾이지 않도록 가리키는 방향을 유지한다.
② 손바닥이나 손등이 정면으로 보이지 않도록 45도 각도로 눕혀서 가리킨다.
③ 오른쪽을 가리킬 경우는 오른손을, 왼쪽을 가리킬 경우는 왼손을 사용한다.
④ 상대방의 입장에서 구체적이고 정확하게 위치를 안내한다.

⑤ 방향을 안내할 경우 상대방의 눈을 보고, 가리킬 곳으로 시선과 손 방향을 안내한 다음, 다시 상대방의 눈을 보고 정확히 이해했는지 여부를 확인하는 '삼점법'을 사용한다.

⑥ 상대방을 보지 않은 상태에서 손으로만 안내하거나 손가락, 턱, 고갯짓으로 가리키는 행동은 무례한 행동으로 상대방에게 불쾌감을 줄 수 있으므로 주의한다.

4) 음성 이미지

(1) 음성의 중요성

① 음성이란 사람의 목소리나 말소리를 의미하는 것으로 외모와 함께 이미지를 만드는 데 매우 중요한 역할을 할 뿐만 아니라 사람의 마음을 움직일 수도 있다.

② 사람의 타고난 음성의 질은 바꿀 수 없지만, 음성의 분위기는 훈련을 통해서 얼마든지 바꿀 수 있다.

③ 목소리는 육체적인 영역뿐만 아니라, 내면적인 인격의 완성도를 나타내는 척도의 기능도 한다. 목소리를 통해 어느 정도 개인의 품성이나 성격을 짐작할 수 있다.

(2) 좋은 목소리

① 선천적으로 타고난 건강함이 느껴지는 목소리

② 또렷하게 들리는 목소리

③ 톤(음조)이 낮으면서 떨림이 없는 목소리

④ 자신 있고 당당하며 씩씩한 목소리

⑤ 다양한 감정을 표현할 수 있는 음색을 갖춘 목소리

(3) 음성의 구성요소

음질	• 목소리가 맑고 깨끗한지, 답답하고 탁한지의 정도 • 음질이 탁하면 듣는 이에게 불쾌감을 줄 수 있고, 스피치에 흥미를 주지 못함
음량	• 목소리의 크고 작음 • 풍부한 음량은 스피치에 있어 매우 중요
음폭	• 소리의 높낮이 • 사용할 수 있는 음역의 정도
음색	• 음질의 색으로 듣기 좋고 나쁨을 구별 • 음색이 나쁘면 부정적인 이미지가 생겨 스피치에 좋지 않은 영향을 미침

(4) 음성 이미지의 구성요소

속도	• 너무 빠른 속도는 정확한 내용 전달이 어렵고, 산만한 느낌을 주어 신뢰감을 주기 어렵다. 반면 너무 느린 속도는 지루한 느낌이 들고 대화에 집중하는 데 어려움을 준다. • 말의 속도는 상대에 따라 속도를 다르게 하여 상대방이 충분히 이해할 수 있도록 한다.
억양	• 억양이란 말에 얹혀 나타나는 소리의 높낮이 또는 말의 멜로디를 말한다. • 억양은 상대가 원하는 내용에 대해 나의 관심의 정도를 나타낼 수 있으며, 집중도를 높이고 대화 분위기에 활기를 줄 수 있다. • 높음과 낮음이 적당하면 자연스럽고 정중한 이미지를 주고, 습관적인 억양은 상투적이고 의례적인 느낌을 준다.
리듬감	• 빠른 리듬으로 말하다가 조금 느리게 더 느리게, 갑자기 빠르게 이러한 변화를 주면서 말하는 것은 내용을 효과적으로 전달하는 방법이다. • 말의 가락에 변화를 주면 전달 능력을 향상시킬 수 있다. • 리듬 없이는 전달력이 떨어지고 감정이나 느낌을 전달하기 어렵다.
강약 조절	• 말은 핵심 메시지와 이를 보완하는 부분으로 구성된다. 핵심적인 부분에는 힘을 주었다가 보완하는 부분은 약하게 조절하면 좋다. • 강약 조절은 의사 전달의 효과를 높이며, 어디에 강/약을 두느냐에 따라 말의 주된 의미가 변화하기도 한다.
띄어 읽기	• 어디서, 어떻게 띄어 읽느냐에 따라 명확성, 논리성 등의 이미지에 영향을 미친다. • 효과적인 띄어 읽기는 상대방이 생각할 수 있는 사이를 주는 것이다. • 말을 잘하기 위해서는 사이를 어디에 두느냐가 중요하다.
명확한 발음	• 불명확한 발음은 상대방에게 혼란을 주어 잘못된 내용으로 전달될 수도 있다. • 효과적 발음은 전문가다운 자신감과 명료성의 이미지를 줄 수 있다. • 낱말 하나하나를 분명히 발음하려는 의식적인 노력을 해야 한다.

01 다음 중 이미지의 형성 과정에 대한 설명으로 옳은 것은?

① 주관적이며 선택적으로 이루어진다.

② 현재의 지각요소를 통해 개인의 이미지를 형성한다.

③ 동일한 대상에 대한 이미지는 누구나 같게 받아들인다.

④ 이미지 형성과정은 감정 과정보다는 이성적 과정을 거쳐 형성된다.

정답 1

② 과거와 관련된 기억과 현재의 지각이라는 투입요소가 혼합되어 개인의 이미지를 형성한다.

③ 동일한 대상에 대해 다른 이미지를 부여한다.

④ 이미지 형성 과정은 지각과 사고 이전의 감정에 의해 반응하는 과정이다.

02 다음 중 이미지 메이킹에 대한 설명으로 가장 적절하지 <u>않은</u> 것은?

① 개인이 추구하는 목표를 이루기 위해 자기 이미지를 통합적으로 관리하는 행위이다.

② 외적인 이미지를 강화하여 긍정적 내면 이미지를 끌어낸다.

③ 대인관계 능력 향상의 효과가 있다고는 볼 수 없다.

④ 현실에서 보여지는 자기 이미지를 시간과 장소와 경우에 맞게 연출하는 것이다.

정답 3

이미지 메이킹을 통해 궁극적으로 대인관계 능력 향상의 효과가 있다.

03 다음 중 첫인상에 대한 설명으로 옳지 <u>않은</u> 것은?

① 메라비언의 법칙에 따르면 첫인상을 형성하는데 있어 청각적 정보가 가장 중요하다.

② 첫인상은 처음 만난 지 2-10초 이내에 결정된다.

③ 한 번 결정된 부정적 첫인상을 바꾸는 데는 많은 노력과 시간이 소모된다.

④ 첫인상은 처음에 들어온 이미지가 나중에 무엇을 판단하는 데 영향을 주는 것을 말한다.

정답 1

메라비언은 일상생활에서의 의사소통에 있어서 55%의 시각적 정보가 첫인상을 형성한다고 하였다.

04 다음 중 내적 이미지에 해당하는 것은?

① 자세, 매너
② 컬러, 메이크업
③ 음성, 억양
④ 신념, 생각

정답 **4**

① 사회적 이미지 ② 외적 이미지 ③ 음성, 언어 표현적 이미지

---

05 이미지 형성에 영향을 미치는 효과 중, 처음 제시된 정보가 나중에 제시된 정보보다 기억에 훨씬 더 큰 영향을 주는 현상은?

① 초두 효과
② 최신 효과
③ 후광 효과
④ 부정성 효과

정답 **1**

② 최신 효과: 초두 효과와 반대의 의미로 시간적인 흐름에서 가장 마지막에 제시된 정보가 인상 형성에 강력한 영향을 미친다는 것이다.
③ 후광 효과: 어떤 대상이나 사람에 대한 두드러진 특성이 그 대상의 다른 세부 특성을 평가하는 데에도 영향을 미치는 현상이다.
④ 부정성 효과: 부정적인 특징이 긍정적인 특징보다 인상 형성에 더 강력한 영향을 주는 현상이다.

---

06 다음 중 이미지 메이킹의 6단계에 속하지 <u>않는</u> 것은?

① 상대를 파악하라
② 자신의 모델을 선정하라
③ 자신을 계발하라
④ 자신에게 진실하라

정답 **1**

이미지 메이킹의 6단계: 자신을 알라 → 자신의 모델을 선정하라 → 자신을 계발하라 → 자신을 포장하라 → 자신을 팔아라 → 자신에게 진실하라

07 다음 중 첫인상의 특징으로 맞지 <u>않는</u> 것은?

① 무형성
② 신속성
③ 일회성
④ 일방성

정답 **1**

첫인상의 주요 특징은 일회성, 신속성, 연관성, 영향력이다.

08 태도 이미지에 대한 설명 중 옳지 <u>않은</u> 것은?

① 서 있는 자세에서는 허리와 가슴이 일직선이 되도록 한다.
② 앉은 자세에서 등과 등받이 사이에는 간격을 두지 않고 붙여 앉도록 한다.
③ 걷는 자세에서 턱은 앞으로 내밀거나 너무 당기지 않도록 한다.
④ 방향 안내 시에 손바닥이나 손등이 정면으로 보이지 않도록 45도 각도로 눕혀서 가리킨다.

정답 **2**

등과 등받이 사이는 주먹이 하나 들어갈 정도로 간격을 두고 앉는다.

09 음성 이미지에 대한 설명으로 옳은 것은?

① 낱말 하나하나를 분명히 발음하려는 의식적인 노력은 필요 없다.
② 소리의 높낮이를 음색이라고 한다.
③ 말의 속도를 상대에 따라 다르게 할 필요는 없다.
④ 리듬감 없이는 감정이나 느낌 전달이 어렵다.

정답 **4**

① 낱말 하나하나를 분명히 말음하려는 의식적인 노력을 통해 명확한 발음을 전달하도록 한다.
② 음폭: 소리의 높낮이
③ 말의 속도는 상대에 따라 속도를 다르게 하여 상대방이 충분히 이해할 수 있도록 한다.

10 조해리 창에 대한 설명으로 옳지 <u>않은</u> 것은?

① 조해리 창은 창틀의 크기와 형태가 고정되어 있다.
② 자신은 알고 있으나 다른 사람이 모르는 부분은 비공개적 부분이다.
③ 타인들로부터 피드백을 받지 못할 때 넓어지는 부분은 맹목적 부분이다.
④ 개방적이고 효과적인 의사소통이 가능한 것은 공개적 부분이다.

정답 **1**

조해리 창은 창틀의 크기와 형태가 고정된 것이 아니라 상호 신뢰수준과 자아 개방, 피드백의 교환 정도에 따라 유동적으로 결정된다고 본다.

고객

Dental Management Officer

고객

Dental Management Officer

03

1. 고객에 대한 이해

1) 고객의 정의

(1) 좁은 의미: 단순히 우리의 상품과 서비스를 구매하거나 이용하는 사람을 말한다.

(2) 넓은 의미: 상품을 생산하고 이용하며 서비스를 제공하는 일련의 과정과 관련 있는 모든 사람을 말한다.

➕ 더 알아보기

[서비스 사회에서 '고객'의 정의]

- Guest: Host의 반대개념으로 '초대받는 고객, 환대받는 고객, 귀하게 여겨야 할 고객'이라는 의미로서 주로 호텔과 고급 레스토랑에서 많이 사용하고 있다.
- Customer: '일정 기간 여러 번의 반복 구매와 상호작용을 통하여 형성된 사람'을 의미하며 반대로 반복구매를 한 적이 없는 사람은 고객이 아니라 단지 단순한 구매자로 정의된다.
- Consumer: 최종소비자 즉, 상품을 소비하는 대상자를 지칭하는 용어이다. 중간도매상이나 제조업자 재생산업자가 구매하는 경우에는 사용하지 않는다.
- Client: 고객이나 의뢰인을 뜻하며, 금전적 또는 다른 통화 가치 있는 고려 사항의 대가로 상품 또는 서비스를 받는 사람을 의미한다.

---

2) 고객의 기본 심리

환영 기대 심리	고객은 자신을 환영해 주고 반가워해 주기를 바란다. 그러므로 항상 밝은 미소로 고객을 맞이해야 한다.
존중 기대 심리	고객은 상대방이 자신을 중요한 사람으로 인식하고, 기억해 주기를 바란다.
독점 심리	고객은 서비스를 독점하고 싶어 하는 심리가 있다. 그러나 일부 고객의 독점 심리를 만족시키다 보면 다른 고객의 불만을 야기시킬 수도 있기 때문에 모두에게 공정한 서비스가 전달되도록 해야 한다.

우월 심리	고객은 자신이 서비스 직원보다 우월하다고 생각한다. 그러므로 직원은 고객이 가진 우월 심리를 잘 이해하여 고객의 자존심을 인정하고 겸손한 자세로 임해야 한다.
모방 심리	고객은 다른 고객을 닮고 싶어 하는 심리를 가지고 있다. '가장 많이 팔리는 상품이 무엇입니까?'와 같이 질문하는 고객들의 심리가 이에 해당된다.
보상 심리	고객은 비용을 지불한 만큼 그에 맞는 서비스를 기대한다. 또한 다른 고객보다 손해를 보고 싶어 하지 않는다.
자기 본위 심리	고객은 각자 자신의 가치 기준을 가지고 항상 모든 상황을 자기 위주로 판단한다.

3) 고객 요구의 변화

의식의 고급화	질적, 양적으로 풍부해진 생활 환경으로 고객들은 고급화된 서비스 의식을 원한다. 서비스 선택의 폭이 넓어짐에 따라 고객들은 점점 인적 서비스의 질을 중요하게 생각하고, 자신의 가치에 합당한 서비스를 요구하고 있다.
의식의 복잡화	고객의 유형이 다양하고 복잡해짐에 따라 요구 또한 다양하고 복잡해지고 있다.
의식의 존중화	고객은 과거와 달리 '존중과 인정' 같은 진화된 심리적 욕구를 가지고 있다. 존중과 인정에 대한 욕구가 많아지면서 고객들은 누구나 자신을 최고로 우대해 주기를 바란다.
의식의 대등화	경제 성장과 물질적인 풍족함의 결과로 서로에 대한 존중 및 신뢰가 떨어지게 되어, 서로 대등한 관계를 형성하려는 상황에서 많은 갈등이 발생하고 있다.
의식의 개인화	고객은 타인과 다르게 특별히 대우해 주기를 바라며, 자신만의 개별적인 서비스를 제공받고자 한다.

➕ 더 알아보기

- 고객 요구(Needs): 고객이 현재와 이상적인 상태를 비교해 둘의 사이를 채워야만 해소할 수 있는 부족의 상태를 의미한다.
  예: 목이 마르다. → 추상적인 부족 상태
- 고객 욕구(Wants): 고객 요구가 생겼을 때 이를 해소할 수 있는 대상을 발견하는 것이 고객 욕구이다. 예: 음료수를 마시고 싶다. → 구체적인 의사
- 고객 수요(Demands): 고객이 욕구 충족을 위하여 자신의 상황을 고려하여 선택한 특정 상품 또는 서비스를 실제로 구매하는 과정을 의미한다.
  예: 음료수를 선택하고 구매하여 마신다. → 구체적인 선택

4) 고객 니즈

잠재 니즈	• 인간의 기본적인 욕구에서 해석되는 니즈 • 무의식적으로는 있었으면 좋겠다는 느낌이 있지만 필요하다는 인식을 못 하거나 어떤 장애 요소로 인해 욕구가 발전하지 못한 상태
보유 니즈	• 어떤 자극이나 정보에 의해 잠재 니즈가 조금 구체화되어 표현된 상태 • 구체적으로 니즈가 강화되지는 않았으며 약간의 구매 의욕과 필요성을 보유 • 니즈의 개발 유무에 따라 현재 니즈로 성장 혹은 잠재 니즈로 후퇴할 수 있음
핵심 니즈	• 고객 개인의 특수한 상황으로 인해 특별히 집중되어 있는 특수한 니즈 • 개별 고객의 특수한 상황을 해결하고자 하는 개별적인 니즈로 유연하고 다양한 니즈
현재 니즈	• 필요를 인지하고 구체적인 결정의 과정에 있음 • 니즈를 구체적으로 실현하고자 하는 실행의 단계에 있는 니즈
가치 니즈	• 고객의 만족이 극대화된 단계에서의 니즈 • 서비스 제공자와 고객이 함께 과정과 결과에 만족을 느끼는 가장 이상적인 고객 니즈의 단계

5) 고객의 기대영향요인

(1) 고객의 서비스에 대한 요구와 기대는 날로 커지고 있다. 성공적인 서비스를 제공하기 위해서는 고객의 기대를 파악하고, 그에 따라 차별화된 서비스를 제공하여 고객 만족을 이루어야 한다.

(2) 서비스에 대한 고객의 기대에는 많은 영향요인이 있다. 특히 기업에서 강조되는 고객 만족이란 '고객의 기대 대비 인식된 가치의 크기'를 말한다.

(3) 이때 무조건 인식된 가치가 크다고 고객이 만족하는 것이 아니다. 고객이 무엇을 기대하는지, 기대의 요인이 무엇인지를 파악하고 그보다 더 큰 가치를 제공해야 고객이 만족한다는 것을 유념해야 한다.

구분	내용	예
내적 요인	고객 자신의 감정이나 경험들로부터 기인하는 기대이다.	• 개인적 욕구 • 상품에 대한 관여도 • 과거의 서비스 경험
외적 요인	고객 내부의 감정이나 경험 등이 아닌, 외부에서 주어지는 기대에 영향을 줄 수 있는 요인이다.	• 고객이 선택할 수 있는 경쟁 대안 • 타인과의 상호 관계로 인한 사회적 상황 • 구전 커뮤니케이션
상황적 요인	같은 상품에 대해서도 고객이 처한 상황에 따라 기대가 달라질 수 있다.	• 정서적 상태 • 환경적 조건 • 시간적 제약
기업 요인	개인이나 사회적 수준이 아닌 서비스를 제공하는 기업 수준에 대한 고객 기대 요인이다.	• 기업의 촉진 전략 • 가격 • 유통 구조에 의한 편리성 • 서비스 수준 기대 • 직원의 역량, 유형적 단서의 제공 • 기업 이미지(기업의 CI, BI, 로고) • 브랜드 이미지 • 점포의 외관 및 인테리어

CHAPTER 1
CHAPTER 2
CHAPTER 3
CHAPTER 4
CHAPTER 5
CHAPTER 6
CHAPTER 7
CHAPTER 8
CHAPTER 9

2. 고객 범주

1) 고객의 분류
(1) 기업의 이익, 관계 진화적 과정에 의한 분류

잠재고객	• 현재 기업에 대해 인지하고 있지 않거나 인지하고 있어도 관심이 없는 고객 • 구매 경험은 없지만 향후 고객이 될 잠재력이 있는 고객 예: 치과 잠재고객-치과 치료에 관심이 없는 고객
가망고객	• 현재 기업에 대해 인지하고 있고 관심을 보이며 신규고객이 될 가능성이 있는 고객 예: 치과 가망 고객-치과 치료에 대해 상담을 받은 고객
신규고객	• 처음 기업과 거래를 시작하는 고객 예: 치과 신규고객-처음 치과 치료를 받은 고객
기존고객	• 2회 이상 반복 구매 고객 • 어느 정도의 고객정보가 쌓여 효율적 마케팅이 가능한 고객 • 재구매가 이루어질 수 있는 고객 예: 치과 기존고객-신규고객 중 치과 치료를 2회 이상 받은 고객
충성고객	• 우리의 상품과 서비스에 대해 가장 충성도가 높은 사람으로 입소문을 내주는 고객 • 충성도가 높아 제품이나 서비스를 반복 구매하고 강한 유대관계를 형성하고 있어 별도의 커뮤니케이션 없이도 구매가 이루어지는 고객 예: 치과 충성고객-기존고객 중 정기적으로 검진을 받거나 주변 사람에게 치과를 추천하는 고객

(2) 참여적 관점에 의한 분류

구매 과정에 참여하는 형태에 따른 분류

직접고객	제품이나 서비스를 구입하는 사람
간접고객	최종 소비자 또는 2차 소비자
내부고객	기업 내부의 직원 및 주주로 외부고객이 원하는 것을 제공하는 역할 담당
의사결정 고객	직접 고객의 선택에 커다란 영향을 미치는 개인 또는 집단
의견선도 고객	제품의 평판, 심사, 모니터링 등에 참여하여 의사 결정에 영향을 미치는 사람
경쟁자	전략이나 고객 관리 등에 중요한 인식을 심어 주는 고객
단골고객	기업의 제품이나 서비스는 반복적, 지속적으로 애용하는 고객이지만, 추천할 정도의 충성도가 있지는 않은 고객
옹호고객	단골 고객이면서 고객을 추천할 정도의 충성도가 있는 고객
한계고객	기업의 이익 실현에 방해가 되는 고객으로 고객 명단에서 제외하거나 해약 유도를 통해 고객의 활동이나 가치를 중지시킴
체리피커	• 신 포도 대신 체리만 골라 먹는다고 해서 붙여진 명칭으로, 기업의 상품이나 서비스를 구매하지 않으면서 자신의 실속 차리기에만 관심을 두고 있는 고객 • 기업의 서비스나 유통 체계의 약점을 이용해, 잠시 동안 사용하기 위해 상품이나 서비스를 주문했다가 반품하는 등의 행동을 하는 고객

(3) 프로세스 측면에서의 분류

내부고객	• 가치 생산에 직접 참여하는 고객 예: 종업원
중간고객	• 기업과 최종 고객이 되는 소비자 사이에서 그 가치를 전달하는 고객 예: 도매상, 중간상, 대리점, 거래처, 하청업자 등
외부고객	• 기업이 생산한 가치를 사용(소비)하거나 사용할 가능성이 있는 고객

(4) 그레고리 스톤의 고객 분류

1954년 그레고리 스톤은 고객을 4가지로 분류하였다. 이는 고객의 쇼핑 태도에 대한 가장 널리 알려진 분류법이다.

경제적 고객 (절약 추구)	• 자신이 투자한 시간, 돈, 노력에 대해 최대의 효용을 얻으려는 고객 • 기업으로부터 자신이 얻을 수 있는 효용을 면밀히 조사하고 계산함 • 경쟁 기업 간 정보를 비교하며 때로는 변덕스러운 모습을 보임 • 경제적 고객의 상실은 서비스 품질에 대한 경보 신호를 의미함
윤리적 고객 (도덕성 추구)	• 구매 의사 결정에 있어 기업의 윤리성이 큰 비중을 차지하는 고객 • 윤리적인 기업의 고객이 되는 것을 책무라고 생각함 • 기업에게 깨끗하고 신뢰할 수 있는 윤리적인 사회적 이미지를 요구함 • 사회적 기부 또는 환경을 위해 노력하는 이미지를 강조하는 마케팅이 필요함
개인적 고객 (개별화 추구)	• 개인 대 개인 간의 교류를 선호하는 고객 • 일괄된 서비스보다 자기를 인정해 주는 맞춤형 서비스를 원함 • 고객관계 관리 등을 통한 고객정보 활용이 선행되어야 함
편의적 고객 (편리성 추구)	• 서비스를 받는 데 있어서 편의성을 중시하는 고객 • 편의를 위해서라면 추가 비용을 지불할 의사가 있음

3. 고객 욕구와 동기(고객 심리)

1) 고객의 욕구 심리

(1) 고객의 소비 욕구와 구매 행동은 '특정한 동기' 없이는 일어나지 않는다.

(2) 고객의 기본 심리는 나이, 성별, 직업, 소득수준 혹은 자신이 자라온 환경 등에 의해 형성되고, 개성이나 라이프스타일과 같이 비교적 지속적으로 유지되는 특성이 있으며 이것을 기반으로 소비 욕구가 발생한다.

(3) 고객의 심리적 욕구는 반드시 이성적이고 논리적이지만은 않다는 것을 알고, 감성과 비논리적 접근으로도 욕구가 일어나고 구매로 이어지는 동기부여가 가능함을 이해해야 한다.

(4) 고객의 심리적 욕구를 잘 이해하기 위해서는 본질을 꿰뚫는 통찰력과 새로운 욕구를 불러일으키기 위해 현재 상황을 분석하는 분석력이 필요하다.

2) 욕구 5단계 이론

(1) 욕구 5단계 이론의 개념

① 미국의 산업심리학자 매슬로우(Maslow)가 1970년에 동기부여와 인간의 욕구
를 5단계로 구분하여 인간의 동기가 작용하는 양상을 기본적이고 보편적으로
제시한 점에서 큰 의의가 있다.

② 매슬로우에 의하면, 자아실현은 계속되는 과정이며 이러한 과정에서 이루어
지는 매번의 선택이 자신의 성장을 위해 이루어진다고 하였다.

③ 각 욕구는 하위 욕구가 충족되어야만, 상위 계층의 욕구가 나타난다고 설명한다.

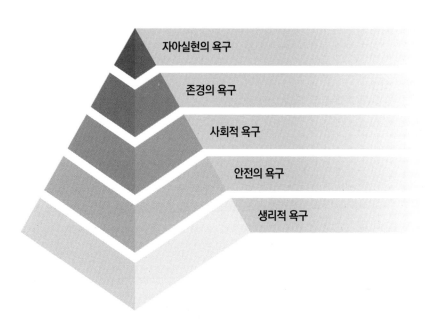

자아실현의 욕구
존경의 욕구
사회적 욕구
안전의 욕구
생리적 욕구

CHAPTER 1
CHAPTER 2
CHAPTER 3
CHAPTER 4
CHAPTER 5
CHAPTER 6
CHAPTER 7
CHAPTER 8
CHAPTER 9

단계	욕구	의미	서비스 욕구의 예
1단계	생리적 욕구	의식주 등 생존을 위한 본능적인 욕구	가격이 적당한가? 양은 충분한가?
2단계	안전의 욕구	위험으로부터 신체적, 감정적으로 안전하고자 하는 욕구	교환/환불이 가능한가? 사용이 안전한가?
3단계	사회적 욕구	사회적 존재로서의 소속감을 느낄 수 있는 애정의 욕구	나에게 친절한가? 나의 행동에 상호 작용하는가?
4단계	존경의 욕구	다른 사람에게 존경받고자 하는 욕구	나의 의견을 존중하고 관심을 가져주는가?
5단계	자아실현의 욕구	자신의 자아를 완성하고자 하는 욕구	나에게 질적으로 우수하고 차별화된 서비스를 제공하는가?

(2) 서비스 경영에 있어서의 욕구 5단계 이론적 접근

① 고객이 가지는 기본 욕구 단계에 맞게 서비스를 잘 제공하고 있는지를 점검하면서 서비스를 제공한다면, 고객 만족을 위한 심리적 접근이 가능하다 할 수 있다.

② 서비스를 제공하는 기업의 입장에서 제품이나 상품이 가지고 있는 특성이 고객과 대면하게 되는 접점에서 어느 단계의 욕구를 더 필요로 하는지 미리 고객의 심리를 이해하고, 고객이 원하는 심리를 충족시키려고 노력하는 자세가 필요하다.

③ 고객이 매장을 방문할 때 아무도 반겨주지 않는다면 소속과 애정의 욕구는 채워지지 않게 되므로, 고객 맞이의 접점에서 고객으로 하여금 매장에 방문하여 소속되었다는 감정을 확실히 느낄 수 있는 서비스를 제공하도록 한다.

3) ERG 이론

(1) ERG(Existence-Relatedness-Growth Theory) 이론의 개념

① 미국의 심리학자 클레이턴 알더퍼(Clayton Paul Alderfer)가 주장한 동기부여

이론으로서, 매슬로우의 욕구 5단계 이론이 직면했던 문제점들을 극복하고자 제시된 이론이다.

② 매슬로우가 제시한 욕구 5단계에서 각 단계가 순차적으로 충족되지 못하면 상위 단계의 욕구로 이동이 불가하다는 내용을 '좌절과 퇴행 원리'를 통해서 높은 단계의 욕구가 충족되지 않으면 만족하기 쉬운 낮은 단계의 욕구로 퇴행할 수 있음을 설명하였다.

③ 한 가지 이상의 욕구가 동시에 작용할 수 있고, 인간의 행동은 욕구들의 복합적 성격을 추구한다는 주장을 하였다.

④ 욕구 5단계 이론을 3개의 차원인 존재욕구(E; Existence Needs), 관계욕구(R; Related Needs), 그리고 성장욕구(G; Groeth Needs)호 압축하여 제시하였다.

(2) ERG 이론의 구성
① ERG 이론의 구성

존재 욕구 (Existence Needs)	• 인간이 생존을 유지하기 위해 필요한 욕구이다. • 매슬로우가 생리적 욕구(배고픔, 목마름 등)와 안전 욕구의 일부 (급여, 작업환경 등)로 분류한 내용들이 존재의 욕구에 포함된다.
관계 욕구 (Relatedness Needs)	• 사회적 존재로서 타인과 인간관계를 맺으려고 하는 욕구이다. • 매슬로우의 이론이 내포하고 있는 대인관계에서의 안전의 욕구, 애정 및 소속의 욕구, 그리고 존경 욕구의 일부(타인으로부터의 존경) 등이 포함된다.
성장 욕구 (Growth Needs)	• 개인적 성장과 관계된 모든 욕구를 말한다. • 한 개인이 자기능력을 최대로 이용할 뿐만 아니라 새로운 능력의 개발을 필요로 하는 일에 종사함으로써 충족된다. • 매슬로우의 자아실현 욕구와 존경 욕구(자기 존경) 일부가 이 범주에 속한다.

② 매슬로우의 욕구 5단계와 ERG 이론의 비교

매슬로우의 욕구 5단계 이론	ERG 이론
생리적 욕구	존재 욕구
안전의 욕구	
소속감과 애정 욕구	관계 욕구
존경의 욕구	성장욕구
자아실현의 욕구	

(3) 서비스 경영에 있어서의 ERG 이론적 접근

① 고객의 기본 심리인 '환영 받고자 하는 심리'의 충족을 위해 접점의 현장에서 존재감을 느낄 수 있도록 서비스를 제공하여 지속적인 좋은 관계를 유지한다.

② 구매 횟수 등에 따른 CRM(Customer Relationship Management) 관리를 통해 관계 욕구를 충족시킬 수 있다.

③ 믿고 구매할 수 있으며, 고객의 삶과 함께 성장하는 가치 중심 서비스 제공으로 성장 욕구도 충족하여 기업과 고객이 동반상승하고자 하는 바를 알릴 수 있다.

4. 고객 성격 유형에 대한 이해

1) Disc

(1) Disc의 개념

① 1928년 미국 콜롬비아 대학의 심리학 교수인 윌리엄 몰턴 마스턴(William Moulton Maston) 박사에 의해 개발된 행동 유형이다.

② 사람들은 서로 다른 행동 경향을 가지고 있으며, 각자 다른 방식으로 사물을 이해하고 판단한다. 환경을 어떻게 인식하는가 또는 그 환경 속에서 자

기 나름의 독특한 동기 요인에 의해 행동을 취하게 되는데 이를 행동 패턴 (Behavior Pattern) 또는 행동 스타일(Behavior Style)이라고 한다.

③ 자기 주장의 표현 정도인 사고 개방도(assertiveness)와 감정의 표현 정도인 감정 개방도(responsiveness)에 따라 주도형, 사교형, 안정형, 신중형으로 구분된다.

④ Disc는 인간의 행동 유형을 구성하는 핵심 4개 요소인 주도형(Dominance), 사교형(Influence), 안정형(Steadiness), 신중형(Conscientiousness)의 앞 글자를 딴 약자이다.

⑤ DISC는 서비스 현장에서 고객의 성향을 파악하고 이에 맞는 서비스를 제공하여 고객 만족을 높일 수 있는 중요한 기반이 된다.

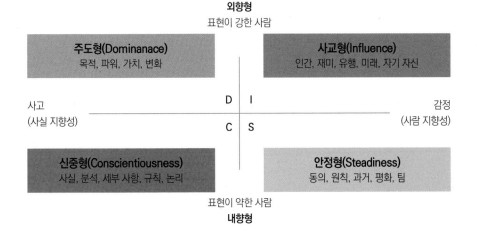

외향형
표현이 강한 사람

주도형(Dominanace)
목적, 파워, 가치, 변화

사교형(Influence)
인간, 재미, 유행, 미래, 자기 자신

사고
(사실 지향성)

D I

C S

감정
(사람 지향성)

신중형(Conscientiousness)
사실, 분석, 세부 사항, 규칙, 논리

안정형(Steadiness)
동의, 원칙, 과거, 평화, 팀

표현이 약한 사람
내향형

(2) 유형별 특징

① 주도형

특징	행동과 말이 빠르고 사람보다 일을 중시한다. 일에 있어 진행이 빠르고 추진력이 있다. 다른 사람의 행동을 유발시키며 지도력을 발휘한다. 직설적이며 자기주장이 강하다.
고객응대 전략	즉시 대답할 수 있도록 준비하고, 핵심만 간략하게 설명한다. 고객이 원하는 결과에 초점을 맞춘다. 의사결정을 하기 위한 핵심적인 대안과 선택안을 준비한다. 동의할 때에는 사람보다 사실이나 아이디어에 동의한다. 구체적인 사례를 들어 간략히 설명하면 효과적이다.
상담반응	상담자가 하는 말을 중간에서 잘라 자기가 하고 싶은 말을 한다. 상담자의 얘기를 경청하지 않고 같은 얘기를 다른 방식으로 물어본다. 짧은 시간에 효과가 나타나길 바란다. 시술 과정이 긴 것은 참지 못한다. 설득해도 자기의 생각대로 해주길 바란다. 결과에 대해서만 치중하고 과정에 대해 말해줘도 그 부분에 대해서 기억하지 못한다. 소요 시간과 결과에 대해 치중한다. 상담자의 표정, 미소 등에 칭찬을 잘한다
치료 후 반응	시술 직후 효과를 바로 확인하기를 원한다. 시간이 생각보다 많이 걸렸을 경우 불평한다. 기대에 못 미치는 것에 대해 서슴없이 이야기한다.

② 사교형

특징	사람을 중요하게 생각한다. 동기 부여하는 환경을 만든다. 열정적이다. 표현력이 좋고 설득을 잘한다. 호의적, 낙관적이다. 외향적이고 그룹 활동을 좋아한다.
고객응대 전략	호의적이며 친숙한 환경을 조성한다. 제품이나 서비스에 대한 다른 사람의 증언을 언급한다. 감정, 직관, 기대 등을 나눈다. 상세히 메모하여 전달하되, 장황하게 쓰지 않는다.
상담반응	'내 생각엔 –할 거 같은데' 식으로 자신의 생각에 대해 이야기를 잘한다. 웃음이 많고 칭찬받는 걸 좋아한다. 사적인 부분도 서슴없이 말한다. 긍정적인 사고방식을 갖고 있다. 시술에 대한 호기심이 매우 많다. 상담을 원했던 부분 외의 질문이 많다.
치료 후 반응	어땠는지, 잘 되었는지, 효과가 있을지에 대해 곧바로 물어본다. 엄살이 심하다. 생각한 바에 대해 솔직하게 말한다. 치료 후 집에 가서 해야 하는 관리에 대해 질문을 많이 한다. 직원의 무뚝뚝함이나 기계식 응대에 대한 컴플레인을 할 수도 있다.

③ 안정형

특징	예측 가능하고 일관성 있게 일을 수행하여 작업수행이 안정되어 있다. 협조적이다. 꾸준하고 참을성이 있다. 다른 사람의 의견을 잘 들어준다. 현상 유지가 중요해 진취적이거나 적극적이진 않다.
고객응대 전략	인간적으로 진지하게 관심을 보이고 동의할 수 있는 환경을 제공한다. 고객의 의견을 얻기 위해 '어떻게'라는 질문을 사용하고 확신을 준다. 사후 지원에 대한 개인적인 보장을 제시한다. 위험을 최소화 시킬 수 있는 방법을 강조한다.
상담반응	질문이 별로 없고, 상담에 집중한다. 당황스러운 질문을 한 경우에 상대방이 당황하면 미안해한다. 자신의 이름을 기억하고 불러주는 것을 매우 좋아한다. 대기시간을 잘 참고 기다린다. 표정이 부드럽고 따뜻한 느낌을 준다. 시간이 걸려도 안전하고 확실한 것을 선택하고, 권해주는 것을 잘 받아들인다.
치료 후 반응	불만을 이야기하지 않으며, 말이 별로 없고, 만족 못 하면 '안 가면 그만이다'라는 생각을 가지고 있는 경우가 많다. 진료 중에 아파도 아프다고 잘 이야기하지 않는다. 행동이 느린 편이다. 치료에 있어서 끈기가 있는 편이다. 농담을 잘 받아들이지 못한다.

④ 신중형

특징	사실과 데이터를 강조하고 세부 사항에 초점을 둔다. 분석적으로 생각하고 찬반, 장단점 등을 고려한다. 갈등에 대해 간접적이고 우회적으로 접근한다. 익숙한 상황에서 일한다. 정확성을 추구한다. 예의 바르고 격식을 차리며 한번 내린 결정은 쉽게 바꾸지 않는다.
고객응대 전략	정확한 자료에 근거한 의견을 제시한다. 일관성 있게 예의 바른 태도로 끈기 있게 설명할 수 있도록 준비한다. 예상 외의 일이 생기지 않는다는 것을 보장한다. 목표를 달성하기 위한 단계적인 접근 방식을 제시한다.
상담반응	시술에 대한 근거, 데이터를 요구한다. 정중한 말을 사용하고 자세 바르게 행동한다. 세세한 사항에 대해 많이 물어본다. 애매한 부분에 대해 예를 들길 원한다. 상담 내용에 대해 확인하고 보장할 수 있는지 물어본다.
치료 후 반응	치료 후 효과를 확신해 주길 바란다. 기다려보라는 시간까지 기다린 후, 만족하지 못할 때는 '상담자가-'라고 말한 부분을 들어 화를 낸다. 근거를 확실히 제시하기 전까지는 자기가 합당치 못하다고 생각하는 부분에 있어서 의견을 굽히지 않는다.

2) MBTI

(1) MBTI의 개념

① MBTI(Myers-Briggs Type Indicator)는 마이어스(Myers)와 브릭스(Briggs)가 스위스의 정신분석학자인 칼 융(Carl Jung)의 심리 유형론을 토대로 75년간 3 대에 걸쳐 연구·개발한 자기 보고식 성격 유형 검사 도구이다.

② 태도와 인식, 판단 기능에서 각자 선호하는 방식의 차이를 나타내는 4가지 선호 지표로 구성되어 있다.

- 정신적 에너지의 방향성을 나타내는 외향(E)-내향(I) 지표
- 정보 수집을 포함한 인식의 기능을 나타내는 감각(S)-직관(N) 지표
- 수집한 정보를 토대로 합리적으로 판단하고 결정하는 사고(T)-감정(F) 지표
- 인식 기능과 판단 기능이 실생활에서 드러난 생활 양식을 보여주는 판단(J)-인식(P) 지표

(2) MBTI의 목적

① MBTI 검사는 자신의 성향과 타인의 성향 간의 잠재적 공통점 및 차이점을 찾고 각자가 서로 다를 수 있음을 알아보는 검사 도구이다.

② 인식과 판단 과정에서 나타나는 사람들의 근본적인 선호성을 알아내고, 각자의 선호가 어떻게 작용하는지의 결과들을 예측하여 서비스 경영에 도움을 얻고자 한다.

③ 고객의 다양한 성향에 따른 적절한 응대로 서비스의 질적 향상을 높일 수 있다.

④ 고객뿐 아니라 자신의 성격을 이해하여 고객과의 갈등 요소를 좀 더 잘 이해하고 해결할 수 있도록 한다.

(3) MBTI 4가지 선호 경향의 기준

① 에너지 방향

외향-내향 지표는 심리적 에너지와 관심의 방향이 자신의 내부와 외부 중 주로 어느 쪽으로 향하느냐를 보여 주는 지표이다.

CHAPTER 1
CHAPTER 2
CHAPTER 3
CHAPTER 4
CHAPTER 5
CHAPTER 6
CHAPTER 7
CHAPTER 8
CHAPTER 9

외향형(Extraversion)	내향형(Introversion)
• 주로 외부 세계에 더 주의를 기울인다. • 사교적, 활동적이고 말로 표현하기를 즐긴다. • 외부의 자극을 통해 배우는 방식을 선호하기 때문에 경험한 후 이해하는 경향이 있다. • 자신을 숨기기보다는 드러낸다.	• 자신의 내면에 더 주의를 기울인다. • 조용하고 내적 활동을 즐기는 경향이 있다. • 생각이 많고, 말보다는 글로 표현하는 것을 편하게 느낀다. • 이해한 다음에 경험하는 방식을 선호하여 생각을 마친 후에 행동하는 경향이 있다.

② 인식 기능

감각-직관 지표는 사람이나 사물 등의 대상을 인식하고 지각하는 방식에서 감각과 직관 중 어느 쪽을 주로 더 사용하는지에 관한 지표이다.

감각형(Sensing)	직관형(Intuituion)
• 일반적으로 오감에 의존하고, 현재에 집중하는 경향이 있다. • 일 처리가 철저한 편이고, 실질적인 것을 중시한다. • 사건을 사실적으로 묘사하는 경향이 있고, 세심한 관찰 능력이 뛰어나다.	• 상상력이 풍부하고 창조적이며, 보이는 것 그대로를 보기보다 육감에 의존하려고 한다. • 나무보다 숲을 보려는 경향이 있고, 가능성을 중요시한다. • 비유적인 묘사를 선호하는 경향이 있다.

③ 판단 기능

사고-감정 지표는 수집한 정보를 바탕으로 판단하고 결정을 내릴 때 사고와 감정 중 어떤 것을 더 선호하는지 알려준다.

사고형(Thinking)	감정형(Feeling)
• 객관적인 사실에 주목하며, 분석적으로 판단하고자 한다. • 공정성을 중요한 가치로 여기고, 원칙과 규범을 지키는 것을 중요시한다. • 비판적이고 맞다-틀리다 식의 사고를 하는 경향이 있다.	• 판단을 내릴 때 원리·원칙에 얽매이기보단 인간적인 관계나 상황을 고려하여 판단하고 결정을 내리고자 한다. • 좋다-나쁘다 식의 사고를 하며 정서적 측면에 집중한다. • 논리적인 판단이나 원칙보다는 사람들에게 어떤 결과를 가져올지 등을 더 중요시한다.

④ 생활양식

판단-인식 지표는 인식 기능과 판단 기능을 바탕으로 실생활에 대처하는 방식에 있어 판단과 인식 중 어느 쪽을 주로 선호하는지에 관한 경향성을 나타내는 지표이다.

판단형(Judging)	인식형(Perceiving)
• 빠르고 합리적이며 옳은 결정을 내리고자 한다. • 목적의식이 뚜렷하며, 조직적이고 체계적으로 행동하는 경향이 있다.	• 매사에 호기심이 많으며, 사전에 계획을 세웠다 하더라도 상황에 따라 유연하게 행동하는 경향이 있다. • 판단형의 사람들보다 상황에 맞추어 활동하고, 모험이나 변화에 대한 열망이 높다.

(4) MBTI에 의한 성격 유형별 특징

MBTI의 4가지 축을 조합하여 16개 성격 유형으로 분류한다. 16가지 성격 유형은 모두 나름의 사회적 가치가 있으며, 나와 상대방이 어떤 유형인지를 잘 알고 대응하는 것이 중요하다.

구분		감각형(S)		직관형(N)	
		사고형(T)	감정형(F)	사고형(T)	감정형(F)
내향형 (I)	판단형 (J)	ISTJ(소금형) 한번 시작한 일은 끝까지 해내는 사람들	ISFJ(권력형) 성실하고 온화하며 협조를 잘하는 사람들	INTJ(과학자형) 전체적인 부분을 조합하여 비전을 제시하는 사람들	INFJ(예언자형) 사람과 관련된 뛰어난 통찰력을 가지고 있는 사람들
	인식형 (P)	ISTP(백과사전형) 논리적이고 뛰어나게 상황에 적응하는 사람들	ISFP(성인군자형) 따뜻한 감성을 가지고 있는 겸손한 사람들	INTP(아이디어형) 비평적인 관점을 가지고 있는 뛰어난 전략가들	INFP(잔다르크형) 이상적인 세상을 만들어 가는 사람들

외향형 (E)	판단형 (J)	ESTJ(사업가형) 사무적, 실용적, 현실적으로 일을 많이 하는 사람들	ESFJ(친선도모형) 친절과 현실감을 바탕으로 타인에게 봉사하는 사람들	ENTJ(지도자형) 비전을 가지고 사 람들을 활력적으 로 이끌어 가는 사람들	ENFJ(언변능숙형) 타인의 성장을 도모하고 협동하 는 사람들
	인식형 (P)	ESTP(활동가형) 친구, 운동, 음식 등 다양한 활동을 선호하는 사람들	ESFP(사교형) 분위기를 고조시키 는 우호적 사람들	ENTP(발명가형) 풍부한 상상력을 가 지고 새로운 것에 도전하는 사람들	ENFP(스파크형) 열정적으로 새로 운 관계를 만드 는 사람들

CHAPTER 1
CHAPTER 2
CHAPTER 3
CHAPTER 4
CHAPTER 5
CHAPTER 6
CHAPTER 7
CHAPTER 8
CHAPTER 9

01 다음 중 고객 기대 영향 요인 중 '내적 요인'에 해당하는 것은?

① 과거의 서비스 경험
② 구전 커뮤니케이션
③ 고객이 선택할 수 있는 경쟁 대안
④ 타인과의 상호 관계로 인한 사회적 상황

정답 1

②-④는 외적 요인에 해당한다.
내적 요인은 개인적 욕구, 상품에 대한 관여도, 과거의 서비스 경험이다.

02 고객심리에 대한 설명 중 옳지 <u>않은</u> 것은?

① 욕구 5단계 이론에 따르면 인간은 생존적 경향, 실현적 경향을 따르고 있다고 본다.
② ERG 이론은 존재욕구, 관계욕구, 성장욕구로 나눌 수 있다.
③ 매슬로우의 욕구 5단계 이론이 직면한 문제를 극복하고자 제시된 이론이 ERG 이론이다.
④ 고객은 감성이나, 비논리적 접근으로는 구매동기가 이어지지 않는다.

정답 4

고객의 심리적 욕구는 반드시 이성적이고 논리적이지만은 않다. 감성과 비논리적 접근으로도 욕구가 일어나고 구매로 이어지는 동기부여가 가능하다.

03 그레고리 스톤의 고객 분류에서 '개인적 고객'에 대한 설명은?

① 자신이 투자한 시간, 돈, 노력에 대해 최대의 효용을 얻으려는 고객
② 구매 의사 결정에 있어 기업의 윤리성이 큰 비중을 차지하는 고객
③ 서비스를 받는 데 있어 편의성을 중시하는 고객
④ 일괄된 서비스보다 맞춤형 서비스를 원하는 고객

정답 4

① 경제적 고객 ② 윤리적 고객 ③ 편의적 고객

04 고객의 기본 심리에 대한 설명으로 적절하지 <u>않은</u> 것은?

① 모방심리: 고객은 비용을 들인 만큼 서비스를 기대한다.
② 존중기대 심리: 고객은 중요한 사람으로 인식되고 기억해주기를 바란다.
③ 자기본위적 심리: 고객은 자신의 가치 기준을 가지고 자기 위주로 상황을 판단하는 심리를 가지고 있다.
④ 우월심리: 고객은 서비스 직원보다 우월하다는 심리를 가지고 있다.

정답 **1**

모방심리는 고객이 다른 고객을 닮고 싶은 심리를 말한다.

05 다음 중 고객 요구의 변화를 설명한 것으로 가장 적절한 것은?

① 고급화: 고객 유형이 다양하고 복잡해지면서 그들의 요구 또한 다양하고 복잡해지고 있다.
② 존중화: 선택의 폭이 확산됨에 따라 자신의 가치에 합당한 서비스를 요구하고 있다.
③ 다양화: 경제성장으로 인해 고객과 서비스 제공자 간에 서로 대등한 관계를 형성하려고 하며, 존경과 신뢰가 떨어지면서 갈등도 많이 발생한다.
④ 나만 특별한 고객이라고 생각하고, 본인만 특별한 고객으로 대우받길 원한다.

정답 **4**

① 다양화 ② 고급화 ③ 대등화

06 다음 중 DISC가 분류하는 인간 행동 유형의 핵심 요소 4개에 속하지 <u>않는</u> 것은?

① 안정형
② 주도형
③ 직관형
④ 신중형

정답 **3**

주도형, 사교형, 안정형, 신중형

07 MBTI에 대한 설명으로 옳지 않은 것은?

① 자신의 성향과 타인의 성향 간의 잠재적 공통점 및 차이점을 찾고 서로 다를 수 있음을 알아보는 검사 도구이다.
② 심리적 에너지와 관심의 방향을 보는 지표는 외향형, 내향형이 있다.
③ 대상을 인식하고 지각하는 방식 중 감각과 직관 중 어느 쪽을 더 사용하는지에 대한 지표는 판단기능이다.
④ 칼 융의 심리 유형론을 토대로 개발한 성격유형 검사 도구이다.

정답 3

인식기능에 대한 설명이다.

08 다음 중 기업에 대해 인지하고 있지 않거나 인지하고 있어도 관심이 없는 고객은?

① 잠재 고객
② 가망 고객
③ 신규 고객
④ 기존 고객

정답 1

② 가망고객: 인지하고 있고 관심을 보이며 신규고객이 될 가능성이 있는 고객
③ 신규고객: 처음 기업과 거래를 시작하는 고객
④ 기존고객: 2회 이상 반복 구매 고객

09 매슬로우 욕구 5단계 이론에 대한 설명으로 옳지 않은 것은?

① 각 욕구는 하위욕구의 충족 없이 상위 욕구가 나타날 수 있다.
② 사회적 존재로서의 소속감을 느끼는 애정의 욕구는 사회적 욕구이다.
③ 서비스 욕구 중 나의 행동에 상호작용하는지에 대한 부분은 사회적 욕구에 속한다.
④ 존경의 욕구는 4단계에 해당된다.

정답 1

각 욕구는 하위 욕구가 충족되어야만, 상위 계층의 욕구가 나타난다고 설명한다.

10 참여적 관점에서 고객을 분류했을 때 다음에서 설명하는 고객은 누구인가?

> 기업의 제품이나 서비스를 반복적, 지속적으로 애용하고 타인에게 추천할 정도의 충성도가 있는 고객

① 옹호 고객
② 의견 선도 고객
③ 단골 고객
④ 외부 고객

정답 **1**

② 제품의 평판, 심사, 모니터링 등에 참여하여 의사 결정에 영향을 미치는 사람
③ 기업의 제품이나 서비스는 반복적 지속적으로 애용하지만 추천할 정도의 충성도가 있지는 않은 고객
④ 프로세스 측면에서의 고객으로 기업이 생산한 가치를 사용하거나 사용할 가능성이 있는 고객

CHAPTER 1
CHAPTER 2
CHAPTER 3
CHAPTER 4
CHAPTER 5
CHAPTER 6
CHAPTER 7
CHAPTER 8
CHAPTER 9

커뮤니케이션의 이해

Dental Management Officer

커뮤니케이션의 이해

Dental Management Officer

04

1. 커뮤니케이션의 개념

1) 커뮤니케이션의 정의

(1) 커뮤니케이션의 어원은 라틴어 'communis'에서 유래한다. 'communis'는 '공통되는(common)' 혹은 '공유하다(share)'라는 뜻을 지니고 있으며, 여기서 파생된 단어 가운데 '공동체'를 의미하는 'community'가 있다.

(2) 커뮤니케이션(communication)이란 사람의 의사나 감정의 소통으로 '가지고 있는 생각이나 뜻이 서로 통함'이라는 의미가 있으며, 인간이 사회생활을 하기 위해서 필수로 가지고 있어야 하는 능력이다.

(3) 상호 간 소통을 위해 사용되는 매체는 비언어적인 요소(몸짓, 자세, 표정, 억양 등)까지 포함된다.

(4) 커뮤니케이션은 시작과 끝이 보이는 선형적인 것이 아니라 순환적이고 역동적이며 계속 이어지는 하나의 과정이다.

2) 커뮤니케이션의 의의

(1) 커뮤니케이션은 혼자가 아닌 누군가와 나누는 것으로서 인간이 사회적 존재로 살아가는 가장 기초가 되는 도구이다.

(2) 인간의 모든 생각과 생활에 영향을 미치고 인간관계를 구성하는 근본요소이다.

(3) 서비스 환경에 있어서는 접점의 직원이 커뮤니케이션을 어떻게 다루느냐에 따라 서비스 품질과 고객 만족에 결정적인 영향을 미친다.

3) 커뮤니케이션의 관점

구조적 관점	• 커뮤니케이션을 하나의 메시지 전달 과정으로 보고, 정확한 전달에 초점을 맞추는 관점 • 커뮤니케이션 송신자가 어떤 정보나 의미를 잡음 없이 원래의 정보 그대로 수신자에게 전달하는 데 주목
의미론적 관점	• 커뮤니케이션을 의미 창출 과정으로 보고 전달자의 메시지 부호화와 수신자의 해독하는 과정에 초점을 맞추는 관점 • 의미의 중요성을 강조
기능주의적 관점	• 커뮤니케이션을 상대방을 설득하기 위한 의도적 행위로 이해하고 얼마나 효과적으로 설득할 수 있는가에 초점을 맞추는 관점 • 오늘날 가장 중요하게 생각하는 기능적 커뮤니케이션의 정의

4) 커뮤니케이션의 특징

상징적 과정	• 커뮤니케이션을 위해 상징체계를 사용하는 것은 인간만이 지닌 고유한 특성이다. • 여러 가지 상징들이 일정하게 체계화되어 최초로 나타난 형태가 언어이다. • 서로 약속한 기호를 이용해서 의사소통하는 것을 뜻한다.
서로의 존재를 확인하는 과정	• 커뮤니케이션은 참여하는 사람들 간의 존재의 확인으로 시작된다. • 옆 사람의 존재를 무시하고 혼자 이야기하면 커뮤니케이션이 성립될 수 없다.
개인별 해석 가능	• 커뮤니케이션을 통해 교환되는 메시지는 각자 다르게 해석될 수 있다. • 본능적인 것(예: 아픔, 배고픔)은 대부분 공통된 경험이기에 공통적으로 이해될 수 있지만, 생각과 느낌은 개개인에게 달리 해석될 수 있다.
상황의 영향	• 같은 주제를 놓고 커뮤니케이션을 한다고 해도 어떤 상황에서 이루어지는가에 따라 다른 결과가 나타날 수 있다.

5) 커뮤니케이션의 기본 요소

발신자(Sender)	메시지를 주는 사람
수신자(Receiver)	메시지를 받는 사람
메시지(Message)	전달하고자 하는 내용(언어, 몸짓)을 문자 등 기호로 바꾼 것
경로(Channel)	메시지 전달의 통로나 매체를 말하는 것 – 매스컴: TV, 라디오, 인터넷 등 – 직접 대면하는 경우: 사람의 목소리 등
피드백(Feedback)	수신자의 반응 커뮤니케이션의 과정을 끊임없이 반복하고 순환하게 하는 중요한 요소
잡음(Noise)	메시지를 정확하게 이해하는 데 방해가 되는 것 – 물리적 잡음: 외부 환경에서 물리적으로 발생하는 잡음 예: 어두운 조명, 불편한 의자 – 심리적 잡음: 발신자와 수신자의 마음속에 일어나는 잡념 예: 배가 고파 수업에 집중을 못 하는 것 속상했던 일 때문에 타인의 의견에 집중을 못 하는 것 등 – 의미적 잡음: 전달되는 메시지의 의미를 전혀 몰라 커뮤니케이션을 못 하는 것 예: 생소한 표현이나 외국어 등
공간(Enviroment)	메시지를 발신하거나 수신하는 분위기, 물리적, 심리적 환경

2. 커뮤니케이션의 유형

1) 언어 커뮤니케이션

(1) 의의

① 언어란 개인이 자신의 생각이나 감정을 전달하기 위하여 사회적으로 약속된 기호 체계이다.

② 고객과의 직접적인 서비스 상황에서 다양한 정보를 주고받는 경우 언어가 활용되어야 하므로 직원과 고객의 언어적 교환은 매우 중요하다.

- 대면의 접촉상황에서 언어를 통해 의문을 던질 경우 문제의 요점을 명확히 알수 있고 전달 속도가 빠르기 때문에 신속하고 정확한 피드백을 받을 수 있다는 장점이 있다.

(2) 목적
① 의미의 전달과 표현을 목적으로 한다.
② 언어를 통해 타인의 의사를 수신한다.
③ 기업의 마케팅 활동에 있어 신뢰형성에 중요한 역할을 한다.

(3) 커뮤니케이션 스킬
① 수신자가 정확히 받아들일 수 있도록 언어적 메시지를 발송한다.
② 조직적인 사고력과 분명하고 쉬운 어휘들을 사용한다.
③ 긍정적인 동조의 의미를 전달하려고 노력한다.
④ 제품과 서비스에 대해 이해하기 쉽고 명확하게 설명을 한다.
⑤ 질문을 던지고 요점을 명확히 주고받으며 관계를 형성한다.

2) 비언어적 커뮤니케이션
(1) 의의
① 비언어적 커뮤니케이션은 구두 혹은 문서화된 언어를 사용하지 않고 메시지를 전달하는 커뮤니케이션이다.
② 몸짓, 자세 등과 같은 신체 언어(body-language), 제스처가 포함된다.
③ 언어의 사용 없이 이루어지는 생각이나 감정 소통의 커뮤니케이션이다.

(2) 중요성
① 커뮤니케이션의 93%가 비언어적 채널로 구성되어 의미 전달에 많은 영향을 준다.
② 언어와 더불어 여러 가지 기능을 함께 수행한다.
③ 정보가 전달되는 상황과 해석에 대한 중요한 단서를 제공한다.
④ 대부분 무의식적으로 드러나기 때문에 신뢰성이 높은 의사전달 수단이 된다.
⑤ 감정과 정서적, 심리적인 정보를 전달한다.

(3) 유형

① 신체언어

문자 언어에 의존하지 않고 몸짓이나, 손짓, 표정 등 신체의 동작으로 의사나 감정을 표현, 전달하는 행위를 말한다.

표정	개인의 인상을 결정하는 중요한 요소이다.
눈 맞춤	대인 관계의 질에 결정적인 역할을 한다.
고개 끄덕임	이야기를 잘 듣고(경청) 있음을 전달하는 수단이다.
몸의 움직임	표현을 도와주는 역할을 한다.
자세	상대방의 상태를 알 수 있는 단서로 작용한다.
제스처	말의 진실함이 전달되도록 한다.

② 신체적 외양

신체상에서 나오는 외적인 모습을 뜻한다.

두발	사람의 태도와 마음가짐. 업무 수행상의 개성 등을 포함한다.
복장	단정한 복장은 신뢰감을 전달한다.
신체 매력	우호적인 이미지 전달과 고객의 태도 변화에 영향을 준다.

③ 의사 언어

공식적 언어가 아닌 인간이 발생시키는 갖가지 소리를 의미한다.

말투	의미 전달에 중요한 역할을 하면서, 신뢰를 쌓는 데 도움을 준다.
고저, 음량	적절한 표현은 의사 표현을 정확히 하는 데 도움을 준다.
음조의 변화	다양한 메시지와 중요도 등을 생생하게 전달하는 데 도움을 준다.
말의 속도	감정과 태도를 반영한다.
발음	정확한 의사 전달에 중요한 역할을 한다.

④ 공간적 커뮤니케이션

친밀한 거리 (0-45 cm)	• 정서적으로 가장 가까운 사람만이 그 안으로 들어올 수 있다. • 가족, 친한 친구, 연인처럼 친밀한 유대 관계가 전제되어야 한다.
개인적 거리 (45-80 cm)	• 손을 뻗으면 닿을 수 있는 정도의 공간에서 어느 정도 격식과 비격식의 관계를 넘나드는 공간이다. • 친구 모임, 동아리 모임, 파티 등과 같이 제한적인 관계의 사람들에게 허락되는 거리이다.
사회적 거리 (80 cm-1.2 m)	• 업무상 미팅이나 공식적인 상호 작용에서의 간격으로 대화 내용 및 행동에 보다 정중한 격식 및 예의가 요구된다. • 이 공간에서는 제3자가 개입하더라도 부담스럽지 않아 대화 도중에 참여 및 이탈이 비교적 자유롭다. • 일반적으로 친밀하지 않은 사람의 경우, 어느 정도의 거리감이 오히려 안정감을 준다.
공적인 거리 (1.2-3.7 m 초과)	• 공적인 간격으로 대중 앞에 서서 편하게 연설할 수 있는 거리이다. • 강사의 입장에서는 청중 모두를 한눈에 파악하기 위해 이 정도의 거리가 필요하고, 청중의 입장에서도 강사에게 무례한 행동을 노출시키지 않으면서 편안히 강의를 들을 수 있는 거리이다.

3. 커뮤니케이션 문제

1) 발신자 문제

목적 의식의 부족	발신자가 의사 전달하려는 명확한 목적이 없을 때 메시지의 내용이 명확하게 나타나기 어렵다.
말하기 기술의 부족	발신자의 부적절한 단어 선택, 문법상 전달력의 문제, 부족한 화술, 불명확한 말투로 인하여 의사소통의 과정을 왜곡시킨다.
대인 감수성의 부족	발신자가 타인과 인간관계적 상호 작용을 충분히 경험하지 못하였을 때 상대방의 질문에 동문서답하거나 자신의 말만 반복하는 등의 문제가 발생한다.
혼합 메시지의 사용	"이중 메시지" 혹은 "혼합 메시지"로 인해 의사가 명확하지 않아 문제가 발생하는 것이다.
오해와 편견	전달자의 심리 상태와 주관적인 견해가 오해와 편견을 만들어 메시지의 정확한 전달을 방해하는 문제가 발생하는 것이다.
정보의 여과	발신자가 의도적으로 수신자가 듣고 싶어 할 정보만 전달하고 듣기 싫어할 정보는 여과하여 원활한 의사소통을 방해하는 것이다.

2) 수신자 문제

평가적 경향	• 수신자가 발신자로부터 메시지를 전달받기 전에 메시지의 전반적인 가치를 평가하여 메시지가 갖는 실제 의미를 왜곡시킨다.
선입견과 신뢰도 결핍	• 수신자가 발신자에 대하여 선입견을 가지고 있을 때 상대방의 말을 건성으로 듣거나 성급한 판단을 한다. • 평소에 발신자의 신뢰도가 부족하다면 발신자의 메시지를 수신자가 전적으로 신뢰하지 않는다.
선택적 청취	• 수신자는 자신의 욕구를 충족시키거나 자신의 신념과 일치하는 메시지는 받아들이고, 위협을 가하거나 기존의 신념과 갈등을 일으키는 메시지는 부정하거나 왜곡하여 정보를 거부하는 경향이다.
경청의 문제와 부정확한 피드백	• 수신자는 메시지에 대한 무반응이나 부적절한 반응을 보임으로써 발신자를 실망하게 한다. 수신자의 무반응은 발신자의 메시지에 관심이 없거나 대화하기 싫다는 것을 암시함으로써 커뮤니케이션의 기회를 줄인다.
왜곡된 인지와 감정적 반응	• 수신자의 과거 경험에 따른 오해와 왜곡된 인지 또는 그릇된 지각 때문에 발신자의 메시지를 잘못 이해하고 수용하는 문제이다.

3) 커뮤니케이션 상황의 문제

과중한 정보	수신자가 수용할 수 있는 범위 이상의 과중한 메시지가 전달되면 의사소통의 효과는 감소한다.
시간의 압박	시간 부족으로 대화가 피상적으로 되는 경우 커뮤니케이션의 정확성이 저해된다.
분위기	평소에 개방성과 신뢰성이 낮은 관계에서는 커뮤니케이션 의도가 부정적으로 왜곡되기 쉽다.

4) 커뮤니케이션 문제의 개선 기법

(1) 듣는 사람의 욕구 수준 파악

말하는 사람은 듣는 사람의 욕구 수준을 파악하여 그 계층에 맞는 메시지 전달 방법을 찾아야 한다. 듣는 사람의 능력을 감안해 핵심적인 욕구를 파악하고 메시지를 전달해야 성공적인 커뮤니케이션을 할 수 있다.

(2) 적극적 경청과 감정이입

주의 깊은 경청과 감정이입으로 커뮤니케이션의 장애 요인을 극복할 수 있다. 정중한 경청 태도의 표명은 감정이입이나 이해도를 증진시켜 장애 발생을 사전에 방지할 수 있다.

(3) 듣는 사람에 맞는 최적의 용어와 방법 선택

커뮤니케이션을 시도할 때 일방적인 전달자가 되어서는 안 된다. 말하는 사람은 듣는 사람의 교육 수준과 나이 또는 성격을 파악한 후에 최적의 용어와 방법을 선택하여야 한다.

(4) 메시지의 반복 전달

메시지 내용을 반복해서 전달하여 커뮤니케이션의 장애를 극복할 수 있다. 다만 직설적인 반복은 듣는 사람을 피로하게 만들어 역효과를 낼 수 있기 때문에 피하는 것이 좋다.

(5) 방어적 커뮤니케이션의 최소화

방어적 커뮤니케이션은 듣는 사람이 자신을 보호하는 방법을 이용하여 메시지를 받는 것을 의미한다. 듣는 사람은 수용적인 자세로 메시지를 받아들이도록 해야 한다.

(6) 정보에 대한 정리와 분리

말하는 사람이 정리, 분리되지 않은 정보를 전달한다면 듣는 사람이 메시지를 정리하며 들어야 하는 불편함을 느끼게 되고 정확한 메시지 인지가 어렵게 된다. 또한 듣는 사람이 메시지를 스스로 인지할 수 있는 역량이 부족한 경우 아무리 말하는 사람이 바르게 전달한다 하더라도 커뮤니케이션 장애가 발생할 수 있다. 그러므로 말하는 사람은 정보를 정리하고 분리하여 전달해야 하며, 듣는 사람은 메시지를 올바로 이해하는 역량을 키워야 한다.

(7) 편견 배제

편견은 사실과 다른 내용으로 검증과정을 거치지 않고 미리 판단하는 견해를 말한다. 이러한 편견을 갖고 커뮤니케이션을 하게 되면 그 효과를 기대하기 어렵다. 편견을 배제함으로써 말하는 사람의 정확한 의도를 파악할 수 있다.

4. 커뮤니케이션 관련 이론

1) 피그말리온 효과(Pygmalion effect)
(1) 누군가에 대한 사람들의 믿음이나 기대, 예측이 그 대상에게 그대로 실현되는 경향을 말한다.
(2) 다른 사람으로부터 긍정적인 기대를 받으면 그 기대에 부응하기 위하여 더 노력하게 되고, 실제로 긍정적인 성과가 나오는 것을 말한다.

2) 낙인 효과
(1) 타인으로부터 부정적인 낙인을 받으면 의식/무의식적으로 실제 그렇게 행동하게 된다는 것이다.
(2) 부정적인 경력은 편견을 만들고 이미지나 인간관계에도 반영되어 인상 형성에 영향을 준다.

3) 플라시보 효과
(1) 심리적으로 긍정적인 믿음이 신체를 자연 치유하는 데 역할을 한다는 것이다.
(2) 위약(僞藥) 또는 플라시보(placebo)는 '마음에 들도록 한다'라는 뜻을 가진 라틴어에서 유래되었다.
(3) 사실은 효과가 없는 약임에도 불구하고 의사가 환자에게 병이 나을 거라는 믿음을 주었을 때 환자의 병이 호전되는 효과를 발휘하게 된다는 실험 결과가 있다.

4) 노시보 효과
플라시보 효과의 반대 의미로, 좋은 효능이 있는 약이라도 환자가 부정적으로 생각하고 약의 효능을 믿지 못하면 실제로 상태가 개선되지 않는 현상을 말한다. 부정적인 심리적 믿음에 따른 부정적인 결과를 의미하는 효과이다.

5) 호손 효과
(1) 다른 사람들이 지켜보고 있다는 사실을 의식함으로써 스스로의 본성과 다르게 행동하는 현상을 의미한다.
(2) 최근 들어 호손 효과는 의미가 조금 확장되어 어떤 새로운 것에 관심을 기울

이거나 관심을 더 쏟는 것에 따라 개인들의 행동과 능률에 변화가 일어나는 현상을 말하기도 한다.

6) 바넘 효과

(1) 사람들이 보편적으로 가지고 있는 성격 특성을 자신의 성격과 일치한다고 생각하는 심리적 경향을 의미한다.

(2) 이러한 현상은 자신에게 유리하거나 좋은 것일수록 강해지고 자신의 특성을 주관적으로 생각하거나 정당화하려 한다.

7) 링겔만 효과

(1) 집단에서 개인의 수가 증가할수록 성과에 대한 개인의 공헌도가 현격히 저하된다.

(2) 집단의 크기가 개인의 잠재력을 발휘하는 데 영향을 줄 수 있으며, 다수라는 익명성 뒤에 "나 하나쯤이야"라는 인식으로 자신의 역량을 충분히 발휘하지 않는 도덕적 해이가 나타날 수 있다.

8) 잔물결 효과

(1) 리플 효과라고도 하며 호수에 돌을 던졌을 때 돌이 떨어진 지점부터 동심원의 물결이 일기 시작해 호수의 가장자리까지 작은 파동이 이어지는 데서 붙여진 이름으로, 하나의 사건이 연쇄적으로 영향을 미치는 것을 말한다.

(2) 조직 구성원 일부에게 처벌과 같은 부정적인 형태의 압력이 공개적으로 가해졌을 때 다른 조직의 다른 구성원들에게도 부정적 영향이 전달되는 것을 말한다.

5. 커뮤니케이션의 기법

1) 효과적인 커뮤니케이션의 기본

명확한 목표 설정	• 전달하고자 하는 내용, 얻고 싶은 내용에 대한 명확한 목표 설정이 있어야 한다. • 정확한 목표의 이해를 위해서는 시각적 자료를 함께 준비한다. • 커뮤니케이션을 통한 변화가 목표라면 원하는 상태를 명확히 이해하고 그 결과에 대해 인식해야 한다.
적절한 커뮤니케이션 수단의 활용	• 상대방이 잘 이해할 수 있는 방법을 선택한다. • 언어적인 수단과 비언어적인 수단의 일치를 항상 생각한다. • 상대방이 받아들일 수 있는 방법으로 직접적으로 의사를 표현하는 것이 중요하다.
피드백의 활용	• 전달자는 자신의 메시지가 잘 전해지고 있는지 확인해야 한다. • 수신자가 이해하고 있는지를 물어봐야 한다. • 비언어적인 수단을 통해 전해지는 메시지를 잘 관찰한다.
공감적 관계 형성	• 공감은 상대방에게 그가 표현한 외형적 의미를 넘어서 내면적 의미까지 읽고 이해하고 있다는 것을 전달해 주는 것이다. • 상대방이 호흡, 말하는 톤, 속도와 같도록 조절한다.
부드럽고 명확한 전달	• 말끝을 흐리지 말고 자신감 있게 분명한 발음으로 말한다. • 목소리는 조용하고 안정적으로 한다. • 정보 전달 시 구체적이고 명확하게 말한다.

2) 경청 기법

(1) 경청의 정의

① 경청이란 다른 사람의 말을 주의 깊게 들으며 공감하는 능력을 말한다.

② 경청에는 "듣다, 관찰하다, 초점을 맞추다, 집중하다, 주의하다, 귀를 기울이다"와 같은 의미가 포함되기도 한다. 즉 경청을 잘한다는 것은 단순히 "잘 듣다(hearing)"가 아닌 상대방이 전달하고자 하는 말의 내용은 물론이며, 그 내면에 깔려 있는 동기나 정서에 귀를 기울여 듣고 이해된 바를 상대방에게 피드백하여 주는 것을 말한다.

(2) 경청의 유형

경청에는 대표적으로 아래의 4가지 유형이 있으며 각각의 특징을 가지고 있다.

경청 유형	주요 내용
배우자 경청	• 대충, 건성 듣는 정도로 단순한 듣기(healing)에 불과하다. • 상대방에게 집중하지 않을 때 자주 발생한다. • 상대의 의도나 생각을 파악하기 어렵다.
수동적 경청	• 상대에게 주의를 기울이거나 공감해주지 않는다. • 상대방이 말하도록 놓아주는 정도이며, 말을 가로막는 정도는 아니다.
적극적 경청 (공감적 경청)	• 상대방과 언어적, 비언어적으로 충분히 공감하고 호응해주는 경청 • 상대방이 존중을 받는 느낌
맥락적 경청	• 상대방이 말하지 않은 내용까지 듣는 경청 • 어떠한 맥락에서 이러한 행동과 말이 나온 것인지 생각한다. • 상대방의 숨겨진 의도나 욕구까지 파악하는 경청기술 • 상대방에게 긍정적인 영향력을 발휘

(3) 경청의 장애요인

낮은 관심/무관심	상대방의 말을 들으면서 머릿속으로 다른 생각을 하거나 메시지 내용에 대해 무관심할 경우 경청은 어렵다.
평가적인 청취	상대방의 이야기를 들으면서 머릿속으로 상대방의 이야기에서 잘못된 점을 지적하고 판단하는 것에 열중하는 것이다.
말하기를 선호하는 경향	전달자의 메시지를 듣는 순간에도 자신이 할 말을 생각하는 경우 경청은 어렵다.
편견과 선입견	전달자에 대한 평판이나 근거 없는 편견은 경청을 방해한다.
문제의 유사성이나 해석 방식의 차이	전달되는 내용이 자신의 경험과 유사하거나 전달자와 다르게 상황을 해석하고 이해하는 것은 모두 경청의 방해 요소이다.
문화적 차이	나라별 관습이나 경제적 격차 등으로 인한 문화의 차이는 경청을 방해할 수 있다.
동정심	• 동정심은 냉정한 판단을 할 수 없게 하므로 경청에 방해가 된다. • 동정보다는 공감을 하여야 한다.

(4) 효과적인 경청 방법

① 산만해질 수 있는 요소나 잡음 제거하기

② 전달자가 전하려는 메시지에 관심 집중시키기

③ 전달하려는 메시지의 요점이 무엇인지 생각하면서 듣기

④ 말하는 사람을 비판하거나 분석하지 않기

⑤ 나의 경험과 비교하기보다 동화되려 노력하기

⑥ 메시지의 내용 중 동의할 수 있는 부분 찾기

⑦ 인내심을 가지고 끝까지 듣기

⑧ 내용을 정확하게 이해하기 위하여 적극적으로 질문하기

⑨ 온몸으로 맞장구치기

(5) 경청 시 유의해야 할 태도

잘못된 경청태도	상대방의 반응
상대방에게 추가적인 정보를 계속적으로 요구	추궁, 또는 비판으로 받아들여 감정표현을 숨긴다. 거부감이나 적대감이 들 수 있다.
문제해결, 정답을 제공하려고 하는 경우	해결에 대한 부분을 넘기려는 의존적인 태도가 생길 수 있다. 감정적으로 본인이 거부당했다는 느낌이 들 수 있다.
가치판단, 평가하려는 태도	스스로 잘못했다고 생각하는 부정적 생각을 유발할 수 있다. 열등감, 강한 반감이 표출될 수 있다.
무조건적인 감정적/지지적 태도	동점을 받는다고 느낄 수 있으며, 이에 따른 거부감이 생길 수 있다.

3) 효과적인 말하기 기술

(1) 기본원칙

• 적절한 화법을 골라 쓴다.

• 때와 장소를 가려서 이야기한다.

• 습관적인 말의 사용을 피한다.

• 상대방이 이해하기 쉬운 말로 한다.

• 유쾌하지 않은 화제는 피한다.

• 정확한 발음, 적절한 속도로 말한다.

(2) 기본 매너

- 말하는 목적을 의식하여 상대방의 입장을 생각한다.
- 상대방의 눈을 보고 좋은 태도로 말한다.
- T.O.P(시간, 상황, 장소)에 맞게 말한다.
- 적당한 호칭과 존칭어로 말한다.

(3) 좋은 표현의 기술

① 품위 있는 표현

- 말은 사람의 인격뿐 아니라 병원의 품격을 대변한다.
- 은어나 속어, 된소리 발음, 상소리, 과장된 표현, 지나친 농담은 지양한다.

② 긍정적인 표현

- 부정적인 표현은 상대방에게 거부감을 줄 수 있으므로, 가능한 긍정적 표현을 사용한다.

③ 청유형의 표현

- 명령형은 상대방에게 거부감을 주므로 청유형 표현을 사용한다.

④ 완곡한 표현

- 대화를 부드럽게 이끌어가기 위해서 강압적인 표현은 피하는 것이 좋다.

⑤ 구체적인 표현

- 막연하고 모호한 표현 대신 구체적이고 알아듣기 쉬운 표현을 한다.

(4) 호감을 주는 말씨

① 교양 있는 차분한 말씨

병원에 온 환자는 마음이 약해져 있는 상태이기 때문에 병원에 근무하는 사람에게 정서적으로 의지하려는 심리를 가지고 있다. 차분한 톤의 말씨를 쓰면 환자의 정서도 차분하게 전환되어 치료적 효과를 높일 수 있다.

② 전문용어가 아닌 환자가 이해하는 말씨

상대방의 언어적 환경에서 사용하는 익숙한 용어로 이해하기 쉽게 설명할 수 있는 말을 선택하여 이야기할 필요가 있다. 환자는 설명을 알아듣지 못하고 이해할 수 없을 때 치료에 대해 두려움을 더 크게 느낄 수 있기 때문이다.

③ 심리적 상황에 맞는 말씨

말하는 사람이 전달 내용에 너무 집중한 나머지 듣는 사람에게 도움이 안 되는 내용까지 말하는 경우가 있는데 이때는 말이 환자에게 해로운 독이 될 수 있다. 항상 상황에 맞는 화제를 신중하게 선택해야 하고, 이를 위해서는 환자가 느끼는 불편함이나, 괴로움이 무엇인가를 먼저 감지하는 게 중요하다.

④ 관심을 보이는 말씨

인간은 자기에게 관심을 가져주는 사람에게 관심을 갖는다. 상대방의 미세한 외모적 변화나 심리적 변화에 관심을 표현하며 대할 때 상대방은 치료에 협조적이 되고 회복에도 좋은 영향을 끼칠 것이다. 관심의 표현은 경청하는 태도로도 전달될 수 있으므로 진심으로 흥미를 갖고 상대방의 이야기에 귀를 기울여주는 것이 좋다.

4) 질문 기법
(1) 질문의 정의 및 중요성
① 질문은 '듣기' 이후에 상대방과의 대화를 깊이 있게 만들기 위한 적극적 행동이다.
② 고객의 상황에 적합한 질문을 해야 원활한 의사소통이 가능하다. 또한 질문의 유형과 내용에 따라 고객의 답변이 달라질 수 있기 때문에 질문하기 전, 질문의 유형과 내용에 대하여 생각하고 준비할 필요가 있다.
③ 적절한 질문을 함으로써 고객으로 하여금 말하고자 하는 중요한 부분을 다시 한번 상기시키게 된다.
④ 효과적인 질문은 정보 수집을 가능하게 하며 대화의 초점이 흐려졌을 때 주위를 환기시키는 데에도 도움이 된다.

(2) 질문의 7가지 힘

답을 얻을 수 있다	질문을 받으면 대답을 하지 않을 수 없다. 이러한 의무감을 응답 반사라고 한다.
생각을 자극한다	질문은 질문을 하는 사람과 받는 사람의 사고를 자극한다.
정보를 얻는다	적절한 질문을 하면 필요로 하는 정보를 얻을 수 있다.
통제가 된다	모든 사람은 스스로 상황을 통제하고 있을 때 편안함과 안정감을 느낀다. 질문은 대답을 요구하므로 질문을 하는 사람이 유리한 입장에 서게 된다.
마음을 열게 한다	질문을 하는 것은 상대방과 그의 이야기에 관심을 보여주는 것이므로 과묵한 사람이라도 자신의 생각과 감정을 드러낸다.
귀를 기울이게 한다	질문하는 능력을 적절하게 향상시키면 보다 적절하고 분명한 대답을 듣게 되고, 중요한 일에 집중하기 쉬워진다.
스스로 설득이 된다	사람들은 누가 해 주는 말보다 자기가 하는 말을 믿는다. 또한 요령 있는 질문은 사람들의 마음을 특정한 방향으로 움직일 수 있다.

(3) 질문의 기법

열린 질문	• "예", "아니오"로 답변할 수 없는 질문 • 고객이 자유롭게 의견이나 정보를 말할 수 있도록 묻는 질문이다. • '무엇을 어떻게'를 포함하는 질문으로 고객에게서 많은 정보를 얻을 수 있다. • 부가적인 질문을 동반하고, 문제 해결 지향적인 질문이다. 예: 오늘 받은 진료는 어떠셨어요?
폐쇄형 질문	• 미리 준비된 선택지 혹은 항목 중에서 답을 선택하도록 하거나 제한된 수의 단어로 답하도록 구성된 질문이다. • 너무 자주 사용하게 되면 질문자의 수준을 낮게 평가하거나 따져 묻는 듯한 인상을 줄 수 있다. 예: 치료 과정에서 시리진 않으셨나요?
긍정형 질문	• 긍정적인 의미가 포함된 질문이다. • 고객의 생각을 존중해주는 느낌을 주어 신뢰감 형성에 도움을 준다. • 고객의 의식을 긍정적이고 바람직한 방향으로 이끈다. • 새로운 가능성과 대안을 모색하는 데 효과적이다. 예: 어떻게 하면 순조롭게 진행될 수 있을까요?

부정형 질문	• 부정적인 의미가 숨어 있는 질문으로 질문받은 사람의 의식을 부정적이고 바람직하지 않은 방향으로 이끌 수 있다. • 문제를 도출해야 할 때 쓰면 좋지만, 반감을 일으킬 수도 있기 때문에 조심스럽게 사용해야 한다. 예: 왜 실패한다고 생각하십니까?
구체적 질문	• 기존 질문에 대한 반응을 근거로, 어떤 문제를 조금 더 깊이 있게 물어 보고 싶을 때 하는 질문이다. • 문제의 핵심을 자극하는 데 효과가 있다. 예: 구체적으로 저희 병원의 어떤 서비스가 마음에 드십니까?
양자택일 질문	• 결론을 내리지 못하고 망설이는 상대를 유도하거나 약속을 얻어내는 데 효과적인 질문이다. • 상대에게 선택권을 주어 의사를 파악하고 존중감을 더해주는 질문이다. 예: 다음 예약일은 화요일과 목요일 중 언제가 편하세요?
가정형 질문	• 상대에게 새로운 관점을 제시하면서 은근히 서비스 제공자의 의견을 반영하는 데 좋은 질문이다. • 대화가 진전 없이 답보상태를 유지할 때 새로운 화제를 통해 생각의 전환을 유도하기 위한 질문이다. 예: 만약 통증이 없으시다면 치료를 시작할 수 있을까요?
확인형 질문	• 고객의 입을 통해 의견을 최종 확인하고자 하는 질문이다. 예: 네, 3월 7일 2시 예약되어 있습니다. 날짜와 시간이 맞습니까?

5) 서비스 화법

(1) 쿠션 화법

고객에게 거절을 해야 하거나 미안한 상황을 표현해야 할 때, 또는 부탁할 때 기분이 나빠지는 것을 최소화할 수 있는 표현 방법이다.

- 번거로우시겠지만, 잠시만 기다려 주시겠습니까?
- 죄송합니다만, 담당자가 잠시 자리를 비웠습니다.
- 불편하시겠지만, 3일 정도 소요됩니다.

(2) 칭찬 화법

칭찬의 한마디는 시간이 오래 걸리지도 않을뿐더러, 상대방에게 큰 호의를 심어줄 수 있다. 대화를 시작할 때 처음부터 본론으로 이야기하는 것보다 가벼운 칭찬으로 시작하는 것이 좋다.

- 의상에 대한 칭찬
- 아이에 대한 칭찬
- 행동에 대한 칭찬(예: 원하는 것을 정확히 말씀해 주셔서 감사합니다/정말 꼼꼼하게 보셨군요/기다려 주셔서 감사합니다)
- 소유한 물건에 대한 칭찬
- 고객의 도움에 대한 칭찬(예: 자세히 작성해 주셔서 감사합니다/큰 도움이 될 것 같습니다)

(3) 고객 지향적 화법
직원들 사이에서 사용하는 전문용어를 고객 관점으로 바꾸어 표현하는 방법이다.
- 저희가 해드릴 수 있는 방법은 → 고객님께서 받으실 내용은
- 알려드릴 수 있는 가장 가까운 지점은 → 가장 편리하게 이용하실 수 있는 지점은

(4) 신뢰 화법
상대방에게 신뢰감을 줄 수 있는 화법으로 다까체로 끝나는 정중한 화법을 70%, 요조체로 끝나는 부드러운 화법을 30% 정도로 사용하는 것이 바람직하다.
- 정중한 다까체: 고객님 안녕하십니까? 이쪽입니다.
- 부드러운 요조체: 안녕하세요? 오시는데 많이 힘드셨죠?

(5) 레이어드 화법
지시형, 명령형보다는 의뢰형, 권유형 등의 질문 형식으로 바꾸어 말하는 화법이다.
- 이쪽으로 앉으세요. → 이쪽으로 앉으시겠습니까?
- 조금만 기다려 주세요. → 조금만 기다려 주시겠습니까?
- 다음에 다시 오세요. → 다음에 다시 한번 방문해 주시겠습니까?

(6) Yes, But화법
긍정의 맞장구를 친 후에 반대 의견을 말하는 화법으로 고객이 거절을 하더라도 그 거절이 잘못되지 않았다는 느낌을 줄 수 있다는 장점이 있다.
- 그 의견에는 동의가 안됩니다. → 네, 무슨 말씀이신지 잘 알겠습니다. 그러나 저는 이런 의견도 제시해 보고 싶습니다.

- 틀렸다고 봅니다. → 그런 경우도 있겠군요. 그렇지만 틀렸을 가능성에 대해서 한 번쯤 고려해 주시겠습니까?

(7) I-메시지 화법(나-전달법)

① 정의

I-메시지 화법은 상대방을 비난하지 않고 불만이나 갈등이 되는 상대방의 행동과 결과를 구체적이고 객관적으로 기술함으로써 그 행동이 나에게 미친 영향을 상대방에게 전달하는 표현법이다.

- 상대방에게 나의 입장과 감정을 표현
- 상대방에게 솔직한 느낌을 전달하여 개방적인 나의 모습을 전달
- 상대는 나의 느낌을 수용하여 스스로 문제를 해결하는 긍정적인 해결

② I- Message의 세가지 요소

- 상대의 행동: 나의 마음을 불쾌하게 하는 상대방의 행동을 판단과 비난이 아닌 객관적 사실만을 언급한다.
- 상대의 행동에 따른 결과: 상대의 행동이 나에게 어떠한 영향을 미치는지 구체적으로 언급한다.
- 상대의 행동과 결과에 따른 나의 감정: 상대의 행동 결과에 따라 생겨난 나의 느낌을 솔직하게 표현한다.

예: You message(조용히 좀 하세요) → I message(당신이 도서관에서 떠들어서 (상대의 행동), 제가 공부에 집중을 할 수가 없습니다(행동의 결과). 내일 시험인데 많이 걱정이 됩니다(나의 감정). "내일이 시험인데 제가 공부에 집중을 할 수가 없습니다. 조용히 좀 해주시겠어요?"

③ I-Message의 주의사항

- 먼저 화를 내거나 부정적 상황을 느끼기 전에 사적인 문제로 이미 나의 기분이 상해 있는 것은 아닌지 나의 감정을 체크한다.
- 나의 감정을 전달하고 표현하는 것일 뿐 상대를 교육하거나 꾸짖으려고 하는 표현은 아니다.
- 나의 목소리, 표정, 자세 등이 I-Message와 일치되어야 한다.
- 주어를 '나'로만 사용한다고 I-Message가 되는 것은 아니다.

예: "나는 너가 시끄럽다고 생각해"라는 말은 "넌 시끄러워"라는 말과 같다.

- I-Message로 표현을 했으나 상대가 방어적인 반응을 보인다면 다시 상대의 이야기를 경청하여 들어야 한다.

(8) 아론슨 화법

미국의 심리학자 아론슨의 연구에서 유래한 화법으로 부정의 내용과 긍정의 내용을 혼합해야 할 때 이왕이면 부정적인 내용을 먼저 말하고 긍정의 내용으로 마무리 하는 것이다.

- 날씨는 맑은데(+) 너무 덥네요(-) → 날씨는 덥지만(-), 맑아서 좋네요(+)
- 품질은 좋은데(+) 가격이 비싸요(-) → 가격은 비싸지만(-), 품질은 좋네요(+)

(9) 맞장구 화법

상대방의 이야기에 관심이 있다는 것을 표현하기 위하여 귀담아 들어 주고 반응해 주는 화법이다.

- 동의형 맞장구: 알겠어요./그렇군요.
- 공감형 맞장구: 그런 일이 있었군요./저런, 많이 황당하셨겠어요.
- 격려형 맞장구: 정말요? 그래서요?/뒷이야기가 궁금한데요?
- 정리형 맞장구: 네, 한마디로 이렇다는 말씀이군요.

(10) 완곡한 표현

대화를 부드럽게 이끌어 가기 위해 "안됩니다.", "모릅니다."와 같은 직설적이고 강압적인 표현은 피하는 것이 좋다.

- 그렇게 하는 것보다 이렇게 하면 어떨까요?
- 제가 알아봐 드리겠습니다.

6. 의료 커뮤니케이션

1) 의료 커뮤니케이션의 중요성

환자와의 커뮤니케이션은 의료의 질을 결정하는 중요한 요소이다.

원활한 커뮤니케이션을 통해 환자의 신뢰수준을 높일 수 있으며, 이 과정에서 얼

CHAPTER 1
CHAPTER 2
CHAPTER 3
CHAPTER 4
CHAPTER 5
CHAPTER 6
CHAPTER 7
CHAPTER 8
CHAPTER 9

는 정보는 진단과 치료에도 영향을 줄 수 있다.

2) 의료커뮤니케이션의 형태와 특징

(1) 환자의 요구는 커뮤니케이션의 주축이다.

(2) 대부분의 커뮤니케이션은 환자 또는 보호자와 이루어지므로 어휘의 선택과 표현에 있어 주의해야 한다.

(3) 환자의 치료 상황에서 주로 발생하므로 환자와 직원 모두 심리적으로 긴장된 상태에서 이루어지는 경우가 많다. 이러한 긴장된 상황에서도 환자 중심의 안정적인 커뮤니케이션이 필요하다.

(4) 병원에서는 표준화되지 않은 상황인 경우들이 많으므로 다른 서비스업보다 고객에 대해 이해하기가 힘들다.

✚ 더 알아보기

[환자에게 힘을 주는 말]

이제 거의 다 끝났습니다. 협조해 주셔서 잘 치료되었습니다.

많이 좋아지고 있습니다. 조금만 더 해봅시다.

잘하셨습니다. 이번에는 반대쪽을 해보겠습니다.

제가 보기에도 치료받으시고 많이 좋아지셨습니다.

[병원에서 활용하는 긍정적 표현]

1) 관심표현: "식사는 하셨어요? 빗길에 힘들지는 않으셨어요?"

2) 탐색표현: "이 치료 받아 보셨어요? 얼마나 받아 보셨어요?"

3) 격려표현: "잘 참으셨어요.", "고생하셨어요."

4) 배려표현: "–설명 드려도 괜찮으시겠어요?", –걸리는데 시간은 괜찮으시겠어요?"

5) 마무리표현: "다른 궁금한 사항 없으세요?", "다른 불편사항 없으세요?"

3) 실전 의료커뮤니케이션

(1) 환자를 의료진과 같이 치료를 하는 공동 주체로 인식한다.

치료의 대상은 환자의 병이지 환자가 아니다.

작전회의식 대화

• "내가 A를 할 테니 환자분은 B를 하시고, 만약 C라는 결과가 나오면 D를 하시

고…"라는 식으로 서로의 역할을 분담하고 결과를 미리 점치며 그 반응을 환자
도 함께 해석할 수 있게 만드는 화법이다.

• 의사가 생각하는 이러한 일련의 치료 작전을 환자와 공유할 때 환자는 강한 몰
입과 함께 의료진에 대한 강한 공감을 가지게 될 것이다.

(2) '주치의'로서의 역할 해주도록 한다.

'주치의'란 자신을 전인적으로 포괄적 진료해주는 의사를 말한다. 다른 부분에 대
한 불편함 여부도 관심을 가지고 정중하게 묻도록 하며, 과거의 치료 병력들에 대
해서도 확인하도록 한다.

(3) 고객과의 관계자산을 쌓음으로써 진료 성과를 높일 수 있다.

① 고객 관계자산

병원을 경험한 환자들이 병원에 대해서 가지고 있는 일시적이지 않은 긍정적인
개별고객들의 정서의 합계

② 고객 관계자산을 쌓기 위한 방법

A. 고객인지

환자들은 자신을 인지해주는 병원에서 편안함을 느끼며 그 병원과 관계를 맺
고 싶어한다. 고객인지를 위해서는 관계중심차팅, 커넥팅, 반갑게 맞이하기가 필요
하다.

• 관계중심차팅: 신환이 왔을 때 차트에 인상착의, 특이사항을 기재해두고 참
고하는 차팅법
• 커넥팅: 신환들이 대체로 자신을 표현하고자 하는 욕구가 있는데 이를 인정
해주는 관계법
진료실에 들어갈 때 사람들은 누구나 자신을 어떤 사람으로 봐주었으면 좋겠는
지 희망하는 신호를 보낸다. 예: 교수님은 교수님으로 / 대표님은 대표님으로.
• 반갑게 맞이하기: 환자를 처음 맞이할 때, 특히 구환의 경우 좀 더 반가운 기
색을 드러내도록 하며, 환자의 이름도 정확히 불러주는 것이 효과적이다. 환
자가 증상에 관해서 말하기 전에 "시린건 좀 괜찮아 지셨나요?"라는 식으로
환자의 현상태를 예측하여 안부를 묻는다.

B. 관계구축행동을 한다.

• 10초 정도의 아이컨택, 경청

초진환자와의 첫 대면 단계(1-2초)에서의 아이컨택의 성공 여부가 진료 전체의 분위기를 결정하는 경우가 많다. 아이컨택이 없거나 비껴가듯 불안하게 되면 환자들은 어색한 느낌을 가지게 된다.

• 개인적 감정이입 표현

환자의 상황, 입장, 생각, 가치관 등에 대해 개인적인 호의 감정을 대입하며 공감하는 것을 말한다. 즉, 누구보다 당신을 잘 이해한다고 표현하는 것이다.

• 관계 비전 제시

좀 더 장기적인 관점을 염두해 두고 환자에게 방법을 제시하는 것을 말한다. "일단 이번에는 A만 하시고 1-2년이 지난 뒤에 B를 검토하는 게 좋겠어요." "잇몸 질환은 일회성으로 치료가 되진 않습니다. 얼마나 관심을 가지고 관리해 주느냐가 중요합니다. 제가 함께 도와드리겠습니다."

4) 진료실에서의 커뮤니케이션
(1) 적극적 경청을 통해 관심을 표명하라

(2) 전략적으로 답변하라

전략적 답변은 환자나 보호자들의 심리 상황을 파악하고 그에 맞는 답을 해주는 것이다. 즉, 환자들은 내가 어떻게 하면 되는지 어떻게 생각하면서 지내면 되는지 등 심리적이고 효율적인 방법을 듣길 원한다.

예를 들어 "시린증상은 언제쯤 좀 괜찮아지나요?"라는 질문에는 "추후 경과를 지켜봐야겠습니다."가 정답이다. 그러나 전략적 답변은 걱정이 많은 환자 일 경우, " 빨리 증상이 나아지시면 좋겠죠. 제 경험상으로는 이런 경우 대부분은 1-2주 이내로 증상이 나아지셨습니다. 만약 다음에 오실 때에도 시린 증상이 많이 줄어들지 않으신다면, 제가 추가적으로 조치를 해드릴테니 너무 걱정하지 않으셔도 됩니다." 라고 하는 것이다.

(3) 비언어적 요소에 주목하라

언어적인 요소 뿐만 아니라, 외모, 몸짓, 분위기, 주변환경등 비언어적인 요소들에 의해서도 커뮤니케이션은 이루어진다. 의료진의 커뮤니케이션에 있어서 비언어적 요소에 주의를 기울이고, 환자에게서 보여지는 비언어적인 요소에도 관심을 기울일 필요가 있다.

7. 설득 커뮤니케이션

1) 설득의 정의
(1) 설득은 상대편이 말하는 사람의 의견을 따르도록 여러 가지 방법으로 깨우쳐 말하는 화술이다.
(2) 광범위한 의미로 설득이란 말하는 사람의 목적을 이루고자 의사표현을 하고 상대방의 이야기를 들으며 서로 의미를 공유하는 과정을 의미한다.
(3) 데일카네기는 "설득이란 사람과 사람 사이의 상호 작용을 통하여 다른 사람의 태도나 행동을 변화시키는 과정"이라고 하였다.

2) 설득의 과정
주의 → 이해 → 납득 → 결정 → 실행

주의 단계	설득자의 말에 상대방이 귀를 기울이는 단계
이해 단계	설득자의 말이 어떤 의미인지 상대방이 이해하고 수긍하는 단계
납득 단계	설득자의 말에 상대방이 수긍하고 판단을 내리는 단계로 설득하는 내용이 받아들일 만한 가치가 있는지 판단하는 단계
결정 단계	설득자의 말을 이해하고 납득한 후 그것을 받아들일지, 무시할지 의사결정하는 단계
실행 단계	상대방이 태도를 정하고 옮기는 단계, 설득의 결과

3) 설득의 기본 원칙

고객의 신호를 파악한다	• 직업, 사회적 배경, 취미, 성격 등의 사건 정보를 알아두면 좋다. • 고객이 좋아하는 것을 사전에 알아두면 대화를 주도할 수 있다. • 뿐만 아니라 고객의 특성이나 의도를 정확하고 신속하게 파악하는 것이 중요하다.
동기를 유발한다	• 적절한 질문을 사용하면 고객이 참여할 수 있다. • 고객이 긍정적인 방향으로 행동할 수 있도록 자신감을 심어 준다. • 설득 중에 난관에 부딪혔다 하더라도 다양한 방법으로 대화를 지속할 수 있는 동기를 제공한다.
분명한 메시지를 전달해야 한다	• 대화의 목표를 분명하게 정하고 원하는 결과를 명확하게 생각해야 한다. • 고객이 긍정적인 방향으로 행동할 수 있도록 자신감을 심어 준다.
경청한다	• 일방적으로 대화를 이끌어가면 오히려 고객이 반감을 가질 수 있다. • 고객의 말에 귀를 기울이고 고객의 반응을 보면서 이야기한다.
칭찬과 감사의 표현을 한다	• 칭찬은 상대방의 호감을 끌어낼 수 있는 쉬운 방법 중 하나이다. • 마음에서 우러나오는 감사의 말은 고객의 마음을 긍정적인 방향으로 움직일 수 있다.

4) 설득의 6가지 법칙

로버트 치알다니(Robert Ciaaldani)교수는 '설득의 심리학'이라는 책에서 설득할 때 꼭 필요한 6가지 법칙을 다음과 같이 제시하고 있다.

일관성의 법칙	• 사람들은 자신들이 결정한 내용을 잘 바꾸려 하지 않는 경향이 있다. • 자신이 직접 참여한 것에 충성심이 높아진다. • 보상을 미끼로 한 일시적인 설득은 단기의 효과만 있다.
상호성의 법칙	• 상대방을 빚진 상태로 만들면 좋다. • 큰 것을 제시하고 양보하면서 작은 것을 제시하거나 어려운 부탁을 하고 한 발 물러서서 작은 부탁을 한다.

사회적 증거의 법칙	• 일반적으로 사람들은 상황이 불확실해지면, 다른 사람의 결정이 개인의 결정에 큰 영향을 미친다. • 도움을 요청할 때 한 사람을 지정해서 요청하는 것이 좋다. • 다수라는 익명성에서 오는 방관자적 입장을 피할 수 있다. • 설득 시, 대상과 비슷한 상황의 인물을 예로 들면 효과가 좋다. • 다수의 행동과 증거를 활용한다.
호감의 법칙	• 사람들이 나를 좋아할 수 있도록 만들면 좋다. • 친절한 사람이 판매하는 상품을 구매할 확률이 높다.
권위의 법칙	• 전문가나 의사, 교수 등 좋은 이미지를 가지고 있는 사람과 연결한다. • 종교/군대의 경우 상부의 명령은 도덕적 잣대와 관계없이 따른다. • 면접 시에는 정장, 제복이 주는 효과가 크다. • 장점과 단점을 함께 말해 주면 전문성에 대한 신뢰가 증가한다.
희귀성의 법칙	• 사람들은 손에 쉽게 넣을 수 없는 것에 더 큰 가치를 느낀다. • 상황이 좋다가 나빠질 때 더 큰 상실감을 맛본다.

5) 설득에 영향을 주는 감정

설득의 목적은 상대의 생각이나 행동을 변화시키는 데 있다. 논리와 이성만으로는 잘 움직이지 않는다. 그래서 상대의 감정을 변화시키는 게 중요하다. 설득의 기폭제 역할을 하기 때문이다.

일단 상대가 나의 제안을 받아들이게 하기 위해서는 기분 좋게 만들어야 한다. 기분을 좋게 하는 가장 쉬운 방법은 인정해주는 것 즉, "칭찬"이다.

(1) 칭찬을 잘하는 방법
① 상대의 '동사'에 초점을 맞춰야 한다.

'정말 예쁘다.'라는 칭찬보다는 '오늘 화장이 참 잘 받는 것 같아요. 항상 내면뿐 아니라 외형도 잘 꾸미시는 걸 보면 정말 부지런하신 것 같아요.'라고 하면 상대는 자신의 노력에 대해 칭찬을 들은 것이라 더 흡족해할 것이다. 즉, 구체적인 행동에 대해 칭찬한다.

② 사회적으로 승인을 받으면 더 증폭된다. 소통에는 스피커 법칙이 존재한다.

칭찬으로 상대에게 더 큰 감동을 주고 싶다면 다른 스피커(주변인)에게 당신의 칭찬을 입력시키면 된다.

"K 씨는 평소에도 보면 예의가 몸에 밴 사람 같아요."라고 말하기보다 "C 씨 알죠. 얼마 전에 커피 한잔했는데 그때 C 씨가 K 씨를 엄청 칭찬하더라고요. 평소에도 예의 바르고 해서 많이 배운다고 말이죠."

③ 부러움을 가장한 칭찬을 던져라

"넌 참 좋은 아빠야."라는 평범한 칭찬이 아닌 "민수(아들)는 참 좋겠다. 성호가 아빠라서.", "너희 실장님은 좋겠다. 네가 부하직원이라서"와 같이 칭찬한다.

④ 상대가 중요하게 여기는 것을 칭찬하라

A. 자녀와 내원한 부모에게는 자녀의 칭찬을 하라

B. 환자가 경제적으로 무리를 해서 치료를 받았다면 치료 결과에 대해 칭찬하고 치료 과정에 대한 성실과 인내심에 대해 칭찬하라

"치료 과정 동안 많이 힘드셨을텐데 예약 시간도 잘 지켜주시고 주의사항을 준수해 주셔서 치료를 잘 마칠 수 있었습니다."

C. 처음 무언가를 도전해서 성공했다면 칭찬을 해주어라

"수술은 처음이셨을텐데 잘 참아 주셨어요."

6) 설득 기법

(1) 이유+제안

상대를 설득할 때 근거나 이유가 덧붙여지면 설득될 확률이 더 높다고 한다.

제시하는 이유나 근거가 딱히 합리적이지 않아도 '있기'만 한다면 상대는 좀 더 쉽게 제안을 수락한다.

예: 기차역 화장실에서 급한 볼일 때문에 새치기를 하고 싶다.

"저기요 혹시 괜찮으시다면 제가 먼저 사용할 수 있을까요?"

→ "제가 타야 하는 기차가 5분 뒤에 출발하는데 혹시 괜찮으시다면 제가 먼저 사용할 수 있을까요?"(합리적인 이유+제안)

→ "제가 오늘 부산까지 가야 하는데, 혹시 괜찮으시다면 제가 먼저 사용할 수 있을까요?"(합리적이지 않은 이유+제안)

이유를 제시하지 않고 제안만 하는 경우보다는 합리적인 이유가 아니더라도 이유를 붙여서 제안하면 수락할 가능성은 높아진다. 이유를 말했다는 사실이 더 중요하기 때문이다.

(2) 제안+제안

제안을 하나만 하는 것보다 비슷한 제안을 두 가지 연달아 제시할 때 설득은 좀더 쉬워진다.

예: "오늘 저녁 메뉴는 스파게티 어때요?" → "오늘 저녁 메뉴는 스파게티 어때요? 그리고 후식은 커피 괜찮겠죠?"

하나의 제안을 거절하는 것보다 연결된 두 가지의 제안을 다각도로 검토해 거절하는 게 더 힘들기 때문이다.

① 저녁을 스파게티로 정하고, 후식도 커피로 정한다.
② 저녁은 스파게티로 정하고 후식은 다른 메뉴로 정한다.
③ 저녁은 다른 메뉴로 정하고 후식은 커피로 정한다.
④ 저녁도 다른 메뉴로, 후식도 다른 메뉴로 정한다.

결정을 내리는 1-2초의 순간에 네 가지의 가능성을 모두 고민하는 것은 힘들다. 어떤 선택이 특별히 싫지 않다면 사람들은 제안을 그대로 수락할 가능성이 높다. 물론 심사숙고할 필요가 없는 가벼운 제안일 때 가능한 방법이다.

(3) 호기심+제안

단순히 제안만 하는 게 아니라 제안을 하기 전에 상대의 호기심을 끌어올리면 의도대로 상대가 행동할 가능성이 높아진다.

호기심을 자극하는 말하기는 상대를 무장해제시키는 경향이 있다. 직접적으로 원하는 것만 말하면 상대의 괜한 반발심을 불러일으킬 수 있다. 호기심 어린 말투는 좀 더 상대의 말에 집중할 수 있게 하고 마음을 열게 한다.

"아 이건 갑자기 생각났는데..."
"참, 어제 우연히 듣게 된 건데..."
"혹시 그거 아세요?"

8. 협상 커뮤니케이션

1) 정의

(1) 타결 의사를 가진 둘 또는 그 이상의 당사자 사이에 양방향 의사소통을 통하여 상호 만족할만한 수준으로의 합의에 이르는 과정이다.

(2) 상대방이 원하는 것을 충분히 파악하여 상대방과 나의 입장을 동시에 만족시킬 수 있는 다양한 대안을 만들기 위한 노력이다.

➕ 더 알아보기

[협상과 설득의 차이]

협상은 '서로 의견이 일치'하는 '합의'라고 표현할 수 있는 반면, '설득'은 나의 주장이나 요구 등을 상대방에게 관철시키는 일이다.

그래서 각각의 접근 전략은 '상대의 니즈 분석'과 '나의 논리'로 달라진다.

---

2) 협상 전의 준비사항

목적	무엇을 이루어 내려고 하는지를 구체적으로 정리한다.
전략	목적 설정 후 전체 계획을 세우고 협상의 방향을 정한다.
작전	전체적인 계획을 바탕으로 구체적인 전개, 순서, 그리고 언제 누구에게 어떤 전략을 취할 것인지 명확히 한다.
정보	구체적인 전개 순서에 필요한 정보 및 자료의 입수 등 협상의 토대를 만든다.
전술	주요 협상 내용을 효율적으로 공격하고 수비할 수 있는 방법에 대해 논리적으로 명확하게 정리한다.

3) 협상의 5대 요소

(1) 협상 목표 설정(goal setting)

① 구체적이고 명확한 목표를 설정한다.

② 협상 목표를 높게 설정할수록 높은 협상 성과를 얻을 수 있다.

(2) 협상력(bargaining Power)

① 협상 상황에서 자신이 원하는 것을 얻어 낼 수 있는 능력으로, 협상 목표에 달

성할 수 있는 힘이다.

② 협상력의 4대 결정 요인으로 협상자의 지위, 시간 제약, 상호 의존성, 내부 이해관계자의 반발이 있다.

(3) 관계(relationship)

① 협상자 간의 관계를 만들어 가는 힘이다.

② 관계의 5대 구성요소는 신뢰(trust), 공통점(commonality), 존경(respect), 상호 관심(mutual concern), 호의적 감정(being emotional)이다.

(4) BATNA(차선책)

① 최선의 대안(Best Alternative To a Negotiated Agreement)의 약자이다.

② 바트나는 주어진 것이 아니라 개발할 수 있는 것이다. 바트나를 개발하고 개선하는 것은 가지고 있는 유리한 조건을 효과적인 협상력으로 전환시킬 수 있다. 협상의 승패는 바트나의 유무에 따라 확연히 달라진다.

③ 바트나는 합의점을 찾지 못하고 협상이 결렬되는 상황에 다른 대안을 제시함으로써 최악의 상황을 피할 수 있다.

④ "협상에 꼭 성공해야 한다"는 강박관념에 도달하기 위해 많이 양보하는 상황이 되는 것을 방지할 수 있다.

(5) 정보(information)

① 협상의 과정은 일종의 정보수집과 정보교환의 연속으로, 가능한 한 많은 정보를 수집한다(정보의 양).

② 신뢰할 수 있는 정보를 정보의 교환을 통해 협상 전략으로 활용한다(정보의 질).

③ 협상 시 수집해야 되는 정보
- 상대의 협상 목적
- 상대의 강점과 약점
- 상대의 협상 전략과 BATNA
- 상대의 내부 이해 관계자 간의 갈등(내부 협상 전략)
- 상대의 시간 제약
- 상대 협상 대표의 개인적 정보

4) 협상의 4단계

시작 단계	• 상대방과 우호적인 관계 구축을 위해 좋은 첫인상을 주고 이를 통해 친근함과 편안함을 느끼도록 한다. • 상대방의 이름을 정확히 외우고 지위나 직위에 상관없이 경의를 표한다.
탐색 단계	• 협상을 시작하면서 양측이 다루어야 할 이슈를 파악한다. • 상대에 대해 자신이 이해하고 있는 사실을 확인하고 잘못된 부분이 있으면 수정한다. • 제시하려는 조건이나 내용에 대한 상대측의 허용 범위와 반응을 확인한다. • 의사 결정권이 협상 당사자에게 있는지, 제3자에게 있는지 확인한다.
진전 단계	• 각자 거래 조건을 제시하고 자기편에 필요한 사항을 최대한 확보한다. • 적절한 양보와 타협을 통해 양측이 합의할 수 있는 해결안을 모색한다.
합의 단계	• 합의 내용을 구두로 확인하고 협상 내용에 따라 계약서 등의 문서를 작성한다. • 결단을 내리지 못하는 상대에게 격려하거나 협상 중단을 제시하는 등 상대방의 의사 결정을 돕는다.

5) 효과적인 주장을 위한 AREA 법칙

구분	내용	예시
주장(Assertion)	주장의 핵심을 먼저 말한다.	~는 ~이다. ~는 ~한다.
이유(Reasoning)	주장의 근거를 설명한다.	왜냐하면 ~다. ~이기 때문이다.
증거(Evidence)	주장의 근거에 관한 증거나 실례를 제시한다.	예를 들어 ~이다.
주장(Assertion)	다시 한번 주장을 되풀이한다.	따라서 ~이다.

6) 효과적인 반론 방법

기회 탐색	협상을 하면서 자신이 반론을 제기해도 상대방이 감정적으로 반론을 하지 않을 만한 기회를 탐색한다.
긍정으로 시작	상대방의 주장 가운데 동의할 수 있는 점과 일치점에 대해 말한다.
반론 내용 명확히	상대방 주장의 허점이나 모순점이라고 생각되는 것에 반론 내용을 명확히 하면서 질문한다.
반대 이유 설명	상대방의 주장과 자신의 의견을 대비시키면서 상대방의 주장보다 더 나은 점을 차근차근 설명하며 반대 이유를 분명히 한다.
반론 요약해서 말하기	논증이 끝나면 다시 한번 반론 내용을 요약해서 간략히 말함으로써 효력이 커지게 한다.

01 다음 중 커뮤니케이션에 대한 설명으로 옳지 <u>않은</u> 것은?

① 사람의 의사나 감정의 소통으로 '가지고 있는 생각이나 뜻이 서로 통함'이라는 의미가 있다.

② 상호 간 소통을 위해 사용되는 매체로는 비언어적인 요소까지 포함된다.

③ 커뮤니케이션은 시작과 끝이 보이는 선형적인 것이다.

④ 서비스 환경에서 커뮤니케이션을 어떻게 다루느냐에 따라 고객 만족에 결정적인 영향을 미친다.

정답 3

커뮤니케이션은 순환적이고 역동적이며 계속 이어지는 하나의 과정이다.

02 커뮤니케이션 오류의 원인 중 '수신자의 문제'에 해당하지 <u>않는</u> 내용은?

① 오해와 편견

② 경청의 문제

③ 부정확한 피드백

④ 왜곡된 인지

정답 1

'오해와 편견'은 전달자의 개인적 견해, 심리상태가 전달되어 메시지의 정확한 전달에 방해가 되는 문제이다.

03 심리적으로 긍정적인 믿음이 신체를 자연 치유하는데 역할을 한다는 커뮤니케이션 이론은?

① 플라시보 효과
② 피그말리온 효과
③ 낙인효과
④ 노시보 효과

정답 1

② 피그말리온 효과: 누군가에 대한 사람들의 믿음이나 기대, 예측이 그 대상에게 그대로 실현되는 경향을 말한다.
③ 타인으로부터 부정적인 낙인을 받으면 의식/무의식적으로 실제 그렇게 행동하게 된다는 것이다.
④ 부정적인 심리적 믿음에 따른 부정적인 결과를 의미하는 효과이다.

04 다음 중 커뮤니케이션 과정의 기본 요소에 대한 설명으로 적절하지 <u>않은</u> 것은?

① 피드백은 커뮤니케이션의 결과이다.
② 커뮤니케이션 과정의 기본요소에는 전달자와 수신자가 포함된다.
③ 메시지 전달의 통로나 매체가 채널이다.
④ 메세지는 전달하고자 하는 내용을 기호로 바꾼 것을 말한다.

정답 1

커뮤니케이션의 결과는 효과이다. 피드백은 메시지를 수용한 수용자의 반응으로써 이 과정을 계속 반복, 순환하는 요소이다.

05 다음 중 효과적인 경청 방법으로 가장 적절한 것은?

① 상대방의 생각이나 주장, 요구에서 동의할 수 없는 부분부터 찾는다.

② 상대방의 입장을 이해하고 최대한 동화되려고 노력한다.

③ 상대방의 이야기를 자신의 경험과 비교하며 듣는다.

④ 이해하지 못한 부분에 대한 추가적인 설명을 부탁해서는 안 된다.

정답 **2**

① 상대방의 생각이나 주장, 요구를 일단 수용하고 동의할 수 있는 부분을 찾아가며 듣고 난 후에 자신의 생각이나 주장을 요구한다.

③ 상대방의 이야기를 자신의 경험과 비교하며 듣지 않는다.

④ 이해하지 못한 것은 질문을 통해 반드시 이해한다. 특히 전문용어나 개념이 납득이 안되면 설명을 부탁하거나 개념을 정의하면서 듣는다.

06 효과적인 질문의 방법 중 상대에게 새로운 관점을 제시하면서 은근히 서비스 제공자의 의견을 반영하는데 좋은 질문 방법은?

① 개방형 질문

② 양자택일 질문

③ 가정형 질문

④ 폐쇄형 질문

정답 **3**

① 자유롭게 의견이나 정보를 말할 수 있도록 묻는 질문 방법

② 상대에게 선택권을 주어 의사를 파악하고 존중감을 더해 주는 질문 방법

④ 준비된 선택지, 혹은 항목 중에서 답을 선택하도록 하는 질문 방법

07 의료커뮤니케이션에 대한 설명 중 옳지 <u>않은</u> 것은?

① 환자와의 관계자산을 쌓기 위한 시작은 고객 인지이다.
② 의료진은 환자에게 감정이입의 표현을 해선 안 된다.
③ 의료커뮤니케이션 시 비언어적 요소도 중요하다.
④ 환자는 전략적 답변을 더 선호한다.

정답 2

환자와의 관계구축을 위해 개인적 감정이입 표현을 할 수 있다.
환자의 상황, 입장, 가치관 등에 대해 호의 감정을 대입하며 공감하는 것을 말한다.

08 다른 사람의 결정이 개인의 결정에 큰 영향을 미칠 수 있기 때문에 설득 시 다수의 행동과 증거를 활용하는 설득의 법칙은?

① 사회적 증거의 법칙
② 희귀성의 법칙
③ 일관성의 법칙
④ 호감의 법칙

정답 1

09 협상의 5대 요소 중 가지고 있는 유리한 조건을 효과적인 협상력으로 전환시킬 수 있으며 협상의 승패를 좌우하는 요소는 무엇인가?

① 관계
② 협상력
③ Batna
④ 정보

정답 3

10 다음 중 서비스 화법에 대한 설명 중 적절한 것은?

① 상대방에게 나의 의사를 충분히 전달하면서도 상대방이 기분 나쁘지 않도록 하는 대화 방법은 I-메시지 전달법이다.

② 의뢰형, 권유형보다는 지시형, 명령형이 더 좋다.

③ 부정의 내용과 긍정의 내용을 혼합해야 할 때 부정을 먼저 말하는 화법은 레이어드 화법이다.

④ 신뢰를 주는 화법을 위해서는 요조체로 끝나는 화법을 50% 정도 사용하는 것이 바람직하다.

정답 1

② 지시형, 명령형보다는 의뢰형, 권유형 등의 질문 형식으로 바꾸어 말하는 것이 좋다.

③ 부정의 내용과 긍정의 내용을 혼합해야 할 때 부정을 먼저 말하는 화법은 아론슨 화법이다.

④ 신뢰를 주는 화법을 위해서는 요조체로 끝나는 화법을 30% 정도 사용하는 것이 바람직하다.

의료서비스
/고객 접점(MOT)

Dental Management Officer

의료서비스/고객 접점(MOT)

Dental Management Officer

05

1. 의료 서비스

1) 서비스에 대한 이해

(1) 서비스의 어원

① Service란 단어는 "노예의 상태"란 뜻의 라틴어 '세르브스(servus)'에서 유래하였다.

② 최근에 와서는 '자기의 정성과 노력을 남을 위하여 사용한다'는 의미로 변화하였으며 타인을 위해 도움을 주거나 배려하는 행위 또는 기술을 의미한다.

③ 물질적 재화 이외의 생산이나 소비에 관련한 모든 경제활동이다.

(2) SERVICE의 키워드

S(Sincerity)	성의, 스피드, 스마일이 넘치는 서비스
E(Energy)	생생한 힘이 넘치는 서비스
R(Revolutionary)	언제나 새로운 것을 신선하고 혁신적으로 제공하는 서비스
V(Valuable)	고객에게 매우 가치 있는 서비스
I(Impressive)	감명 깊은 서비스
C(Communication)	커뮤니케이션이 있는 서비스
E(Entertainment)	사려 깊은 배려가 있는 서비스

120 치과경영관리사 **커뮤니케이션이론**

(3) 서비스 품질

① 서비스 품질의 정의

• 서비스 속성의 집합이 고객을 만족시키는 정도로서 고객의 인식에 의해 결정되는 것이다. 고객이 지각하는 서비스 품질이란 고객의 기대나 욕구의 수준과 그들이 지각한 서비스의 차이이다.

② SERVQUAL모델

• 미국의 파라수라만, 자이다믈, 베리 세 사람의 학자에 의해 개발되었다.
• 서비스품질 측정 모델 중 가장 널리 사용되고 있는 모델로, 초기 서비스 품질의 구성요인을 97개 항목 10개의 속성으로 도출하였으나, 이후 22개 항목 5개 차원의 다항목 척도를 개발하였다.
• 기대가치를 먼저 측정한 후 경험가치를 측정하여 격차를 이용해 서비스품질을 평가한다.
• 고객의 기대문항에 대한 점수와 기대문항에 상응하는 지각문항에 대한 점수 간의 차이로써 측정한다(SERVQUAL점수= 고객의 지각점수 - 고객의 기대점수).

서비스 품질 평가 10개 차원	SERVQUAL 5개차원	SERVQUAL 차원의 정의
유형성	유형성	서비스의 외형적 증거로서 물리적 시설, 장비, 직원의 외양 등의 외형적 단서 - 시설, 장비, 직원의 복장, 커뮤니케이션 자료의 외형(팜플렛, 설명서 등)
신뢰성	신뢰성	서비스 제공자의 진실성, 정직, 약속한 서비스를 믿을 수 있고 정확하게 수행할 수 있는 능력 - 서비스 수행의 정확도, 시간준수
반응성	반응성	고객을 돕고 즉각적인 서비스를 제공하려는 의지 - 고객이 문의한 내용에 대한 즉시성, 신속한 서비스 제공
능력	확신성	믿음과 확신을 주는 직원의 능력분만 아니라 그들의 지식과 호의 - 서비스 수행능력, 고객에 대한 정중함과 존경
예절		
안전성		
진실성		
접근성	공감성	고객에게 제공하는 개별적 배려와 관심 - 개별적 관심, 원활한 의사소통, 고객 니즈에 대한 이해
커뮤니케이션		
고객이해		

CHAPTER 1
CHAPTER 2
CHAPTER 3
CHAPTER 4
CHAPTER 5
CHAPTER 6
CHAPTER 7
CHAPTER 8
CHAPTER 9

- 고객의 기대를 형성하는 데 기여하는 핵심요인에는 구전, 고객들의 개인적 욕구, 서비스를 이용해 본 과거의 경험, 서비스 제공자의 외적 커뮤니케이션 등이 있다.

2) 의료 서비스의 특성

(1) 무형성

서비스 제공의 결과를 미리 예측할 수 없으며 서비스를 경험한 이후에도 서비스의 가치를 정확하게 평가하기 어렵다.

건강과 연결되어 있기 때문에 고객들은 구전이나 과거의 경험을 많이 신뢰하게 되며 의료기관의 규모나 시설, 장비, 의료진의 의술에 대한 사회적인 인정을 확인할 수 있는 자격증, 인터넷 매체 등 다양한 유형적인 증거를 평가 기준으로 삼는다.

(2) 비분리성

서비스를 제공하는 사람은 고객과 직접 접촉하게 되므로 생산과정에서 고객이 참여하게 된다. 의료 서비스의 성과는 고객의 상태, 나이, 성별, 기타 고객의 특성에 의해 영향을 받기 때문에 서비스의 제공자와 고객이 함께 만들어 가는 것이므로 고객중심적인 서비스를 제공하도록 해야 하는 것이다.

(3) 이질성

서비스 제공자의 인적 요소가 평가의 척도가 된다. 즉 서비스 주체인 사람의 의존도가 높아 균질성이 낮고 표준화도 어렵다. 같은 의사가 수술을 한다 해도 수술하는 시간과 장소, 환자의 조건, 의사의 컨디션에 따라 결과가 달라질 수 있다.

(4) 소멸 가능성

저장하거나 재고를 남길 수 없다. 그러므로 수요와 공급을 조절하는 것이 필요하다. 의료 서비스에 대한 수요는 예측하기가 어려우므로 예약 제도를 시행하여 수요를 적절하게 분산시키거나 환자가 몰리는 시간에 집중적으로 인력을 투입해서 서비스의 공급을 증대시키면 효과적으로 대응할 수 있다.

3) 병원에서의 고객만족

고객 만족이란 의료 서비스의 개별적 차원에 대한 환자 개인의 긍정적 평가라고

할 수 있다. 고객 만족은 전 산업에 걸쳐서 주요한 개념으로 정립된 지 오래이며 의료 서비스 역시 고객 중심 경영에 우선순위를 두고 있다.

(1) 환자 만족에 대한 이해

① 병원과 환자의 만족도에 대한 관점 차이

치과 입장에서 치료의 퀄리티	환자 입장의 퀄리티 높은 치료
최상의 임상기술을 습득하고 제공하는 것	치료받을 때 편안함
최신의 의료장비 및 재료를 구비하는 것	치료받을 때 진료 의사의 매너와 시술
쾌적하고 수준 높은 인테리어 및 편의시설을 갖추는 것	진료 보조 시 스텝의 배려와 편하게 다루는 것
임상 과정의 정확성 및 기공 과정의 정확성	치과 보철의 경우 재제작 없이 한번에 정확히 맞는 것
퀄리티 높은 스텝과 시스템	상담 직원의 성심성의 및 친절한 응대
	나를 존중하고 배려한다는 느낌
	깔끔한 치료 과정과 약속

② 만족은 정도의 문제이다.

'만족했다/안 했다'는 극단적인 문제가 아니다. 어느 정도 만족하고 어느 정도 불만족한다.

만족이 "정도"의 문제인 이상 목표 수준이 중요하다. 대부분의 병원은 목표 수준을 환자의 기대 수준 이상으로 삼고 있다.

기대 수준은 사람에 따라 다르고, 지역과 시대에 따라 변한다. 그러므로 만족을 위해서 어느 정도 의외성을 내포해야 한다.

- 오래 기다리는 환자에게 계절에 맞는 차를 대접하며 감사의 마음을 표현한다.
- 진료실에서 어르신 환자의 손을 따뜻하게 잡아준다.
- 비즈니스를 하는 것처럼 보이는 환자에게는 명함을 건네거나 명함을 청한다.
- 환자나 보호자에게 칭찬을 건넨다.

③ 만족은 경험에 대한 총체적 평가다.
- 병원에 대한 환자들의 기억이나 최종 평가는 결국 어떤 총체적인 결과인 인상으로 남게 되는데 그 인상의 중요변수가 경험이다.
- 병원에는 환자로 하여금 다양한 경험을 하게 만드는 수많은 접점이 있다. 환자가 만족하도록 경험을 설계하는 것이 바람직하며, 경험은 서비스 그 자체가 아니라 서비스가 제공되는 상황이다.

④ 만족은 주관적 감정이다.
- 만족이란 사람의 기분상태를 의미하는 것으로 매우 감성적인 단어다.
- 환자 설문조사에서 사용되는 '매우만족, 만족…' 등의 척도에서 환자가 매우 만족을 체크한다고 해서 진정 만족한 것은 아니다.
- 환자의 감정은 섣불리 묻거나 표현되게끔 하기 어려우므로 만족도를 대체할 수 있는 지표를 활용한다(예: 소개환자비율, 신환소개의존율, 재방문율, 가족 동반 방문율 등).

(2) 환자 만족도의 구성요소
도나베디안(Donabedian)은 환자 만족도의 구성 요소를 다섯 가지로 제시했는데 다음과 같다.

① 의료 서비스의 접근성
병원이 의료서비스를 얼마나 쉽고 편리하게 제공할 수 있는가에 대한 능력이다.

② 환자와 의료인과의 상호관계
의료인이 의료서비스를 제공하는 과정에서 고객과 어떠한 관계를 맺었는가 하는 것이다.

③ 의료환경의 쾌적성
환자에게 얼마나 바람직한 환경에서 의료서비스를 제공하는 가에 대한 능력이다.

④ 진료의 효과에 대한 환자의 선호도
의료서비스의 결과에 대해 의료서비스 제공자와 환자가 반드시 같은 견해를 가질 수 없다.

⑤ 의료비용에 대한 환자의 선호도

의료서비스를 받고 나서 환자나 가족이 부담하는 비용과 서비스의 내용 차이를 평가하는 정도를 말한다.

(3) 환자만족의 효과

① 고객의 충성도를 높여 재구매 고객을 확보할 수 있다.

구매과정이나 구매를 통해 만족한 고객은 재구매를 할 경우, 전에 만족했던 제품을 찾게 된다.

② 비용을 절감할 수 있다.

신규고객을 확보하는 것보다 기존고객을 관리하는 비용이 훨씬 적게 들기 때문이다.

③ 광고 효과를 극대화시킬 수 있다.

만족한 고객은 구전을 통하여 여러 명의 신규고객을 창출할 수 있다.

④ 시장우위를 가져와 경쟁사의 진입을 막을 수 있다.

고객이 만족할 경우, 가격우위효과를 지니고 다른 경쟁사의 진집입을 제재할 수 있다.

⑤ 불만고객 활용을 통해 성장할 수 있다.

고객의 불만사항을 통해 부족한 서비스를 깨닫고 개선할 수 있다.

또한 불만고객을 응대하는 과정에서 만족을 주면 그 고객은 충성 고객이 될 수 있다.

2. 고객 접점(MOT)의 이해

1) 고객접점(MOT)의 의의

(1) MOT는 Moment Of Trurh 진실의 순간, 결정적 순간이라 하며 고객이 기업의 종사자 또는 특정 자원과 접촉하는 순간의 상황을 말한다.

(2) MOT는 서비스 제공자가 고객에게 서비스의 보여줄 수 있는 기회로써 지극히 짧은 순간이지만 고객의 서비스에 대한 인상을 좌우한다.

2) 고객접점(MOT)의 유래

(1) 고객접점(MOT)는 원래 스페인의 투우 용어인 'Moment De La Verdad'를 영어로 옮긴 것으로 투우사가 소의 급소를 찌르는 순간, 즉 '피하려 해도 피할 수 없는 순간' 또는 '실패가 허용되지 않는 매우 중요한 순간'에서 유래하였다.

(2) 고객접점(MOT)은 최초의 고객만족 연구를 시작한 스웨덴 학자 리처드 노먼이 '서비스 제공자와 고객과의 접촉 순간'을 투우의 결정적 순간에 비유하여 사용하였다. 또한 스칸디나비아항공(SAS)의 사장이었던 얀 칼슨은 MOT의 개념을 경영에 처음 도입, 1987년 'Momnt of truth'란 책을 펴낸 이후 MOT란 말이 급속히 보급되었다.

3) 스칸디나비아(SAS) 항공사의 고객접점(MOT)

(1) 진실의 순간에 고객을 만족시키는지 여부가 SAS 항공사의 성패를 좌우한다고 하였다.

(2) 얀 칼슨 '고객을 순간에 만족시켜라': 진실의 순간이라는 자신의 저서에서 '한 해 일천만 명의 승객이 각각 5명의 스칸디나비아 항공의 종업원들과 접촉한다고 보고, 스칸디나비아 항공사의 진실의 순간은 1회의 고객 응대시간을 평균 15초로 계산하면 1회 15초 동안 5천만 번 고객의 마음에 스칸디나비아 항공의 서비스 이미지를 새겨 넣은 것이다.'라고 정의했다.

(3) 얀 칼슨 사장은 진실의 순간 개념을 도입한 지 불과 1년 만에 스칸디나비아 항공을 연 800만 달러의 적자로부터 7,100만 달러의 이익을 내는 회사로 탈바꿈시켰다.

4) 고객접점(MOT)의 중요성

고객이 서비스 품질에 관하여 무엇인가 인상을 얻을 수 있는 결정적인 순간이기 때문이다.

고객접점(MOT)을 잘 관리하면 고객 만족도를 높일 수 있지만 반대로 고객의 기대를 충족시키지 못하면 다른 고객가치 요소가 아무리 훌륭하다고 하더라도 가치를 느끼지 못하게 된다.

5) 고객 접점(MOT)의 3요소

(1) 하드웨어(Hard ware)

고객이 보고 느끼고 체험하는 시설

예: 건물, 시설, 인테리어 분위기 등

(2) 소프트웨어(Soft ware)

고객이 접하는 업무 프로세스 및 제도

예: 업무처리 절차, 업무처리 기간, 고객불만 처리 체계 등

(3) 휴먼웨어(Human ware)

고객이 가치를 실현하려는 조직원의 태도, 마음가짐, 동기부여 정도, 자질 등

예: 표정, 의사소통, 용모 복장, 전화응대, 태도 등

6) 고객 접점(MOT)의 종류

(1) 비대면 접점: 홈페이지 접속, 전화 등을 통한 접점으로 실제 병원과의 접촉은 일어나지 않지만 고객은 이러한 접점을 통해서 병원의 서비스를 평가한다.

(2) 면대면 접점: 주차, 접수, 대기, 상담, 초진, 진료실 등 대부분의 병원에서 일어나는 접점은 면대면 접점이다.

(3) 원격 접점: 환자 스스로 접수하는 기기, 무인 구강용품 판매대 등 자동화기기를 통한 접점이다.

7) 고객 접점(MOT) 공식

(1) '100-1=0'의 공식

단순하게 산수로 위 공식을 계산하였을 때 우리는 통상 99라고 대답한다.

하지만 디테일에 대해서는 100-1=0이다. 즉 디테일에 대한 계산법은 우리가 생각하는 덧셈, 뺄셈의 간단한 공식이 아니라 100에서 -1이나 +1이 작은 부분의 소홀함, 불쾌했던 경험이 기존 병원이나 자신에 대한 평가나 인식이 한순간에 0이 될 수도, 혹은 200이 될 수 있다는 부분을 다양한 사례를 들어서 이야기하고 있다.

(2) '통나무 물통' 공식

통나무 물통은 여러 조각의 나뭇조각을 묶어서 만들었기 때문에 어느 한 조각이 깨지거나 높이가 낮으면 그 낮은 높이만큼 밖에 물이 담기지 않는다. 고객은 접점에서 경험한 서비스 중에서 가장 낮은(불량한) 서비스를 유난히 잘 기억하고 병원을 평가하는데 중요한 잣대로 삼는다.

(3) 곱셈의 법칙(95x93x91x0=0)

서비스 전체의 만족도는 고객접점(MOT) 각각의 만족도의 합이 아니라 곱에 의해 결정된다는 것이다. 각 서비스 항목의 점수를 처음부터 우수하게 받아더라도, 어느 한 항목에서 0점을 받았다면 그 결과는 0으로 형편없는 서비스가 된다는 것이다.

8) 고객 접점(MOT) 설계

(1) 고객 접점(MOT) 설계의 필요성

고객의 니즈가 무엇인지 알 수 있다.

고객의 고객접점(MOT) 경험이 많아지면 장기적으로도 브랜드의 이미지를 높이는 역할을 한다.

(2) 고객접점(MOT) 사이클의 개념

고객접점(MOT) 사이클은 고객이 서비스를 받는 과정에서 경험하는 사건의 연속적인 연결이다.

서비스 프로세스에서 나타나는 일련의 고객접점(MOT)들을 보여주는 시계모양의 도표로 '서비스 사이클'이라고도 하며 도표를 그리는 방법은 고객이 경험하는 고객접점(MOT)들을 원형 차트의 1시 방향에서 시작하여 시계방향으로 순서대로 기재한다.

일반적으로 직원들은 자신이 맡고 있는 업무에만 관심을 두고 일하는 경향이 있는데, 고객은 서비스 과정에서 경험하는 전체를 가지고 품질을 평가하므로 고객접점(MOT) 사이클은 매우 중요하다.

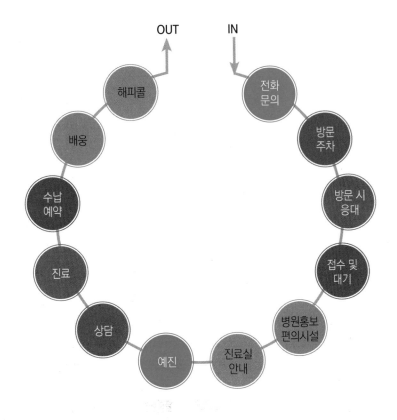

(3) 고객접점(MOT) 차트의 개념

　고객접점(MOT) 차트는 표준적인 기대치, 플러스 요인, 마이너스 요인으로 이루어진 간단한 차트이다. 중앙에는 고객접점(MOT)에 대한 고객의 표준적인 기대치를 기록하고, 왼쪽 칸에는 고객의 마음에 가치를 부가할 수 있는 플러스 요인을, 오른쪽 칸에는 고객접점(MOT)을 불만족스럽게 만드는 마이너스 요인을 기록한다. 고객접점(MOT) 차트는 직원들이 각각의 중요한 고객접점(MOT)들을 성공적으로 수행하기 위한 방법을 찾는 데 도움이 된다.

플러스 요인	고객의 표준적인 기대	마이너스 요인
• 담당자가 벨이 3회 이상 울리기 전에 받고, 모든 문제를 교환 없이 바로 안내해준다. • 데스크 담당자가 상냥한 미소로 꼼꼼하게 접수와 병원 이용 방법 등을 친절하게 설명해준다. • 원하는 장소를 찾기 쉽도록 동선이 잘 정비되어 있다	• 한 번의 전화로 해결된다. • 전화를 할 때 바로 원하는 상담이 가능하다. • 데스크에서 신속하게 접수를 도와준다. • 원하는 장소를 잘 찾아갈 수 있도록 설명해준다.	• 기계음 또는 여러 번의 교환을 거쳐야 예약을 할 수 있다. • 데스크 담당자가 사무적인 표정으로 묻는 말에만 대답한다. • 원하는 장소를 찾아가는데 복잡하고 이해하기 어렵다.

(4) 고객접점(MOT) 차트의 분석

① 서비스 접점 진단하기: 고객이 처음 방문해서 나가는 순간까지의 모든 과정을 고객의 입장에서 생각해본다.

② 서비스 접점 설계하기: 고객 접점(MOT)의 단위를 구분한다.

③ 고객접점 사이클 세분화하기: 고객이 처음 접촉해서 서비스가 끝날 때까지의 흐름에 따라 전체 과정을 그려본다.

④ 고객 접점 시나리오 만들기: 고객접점(MOT) 차트를 활용하여 각 접점마다 문제점과 개선점을 찾아 시나리오 차트를 구성한다.

⑤ 일반적인 표준안에서 구체적인 서비스 표준안으로 행동하기: 각 접점 단위별로 새로운 고객 접점 표준안을 만들고, 접점별 표준안대로 훈련하고 행동한다.

➕ 더 알아보기

[고객 욕구 계층설]

칼 알브레히트(Karl Albrecht)의 고객가치 4단계

1) 기본가치

기본적 수준의 가치로 병원을 찾은 뒤 병이 낫는 것이다.

가장 기초적인 욕구가 충족될 때 낮은 단계의 고객 만족도가 생긴다.

2) 기대가치

고객이 보편적이고 평균적으로 갖는 기대치로 경쟁사와 비교할 때 차별적인 요소는 될 수 없다.

예: 청결한 환경, 친절한 설명

3) 희망가치

고객이 구체적인 기대를 갖고 있지는 않지만 충족되었을 때 높은 고객 만족도가 생기며 경쟁사와 차별화되는 가치다.

예: 치료 시 안정을 줄 수 있는 음악, 좋은 냄새

4) 전혀 예상하지 못한 가치

고객이 예상하지 못한 가치를 충족 시켜 줄 때 가장 높은 수준의 고객 만족도를 얻는다. 놀라움은 고객 감동을 이끌어 내고 이는 후에 고객의 재구매와 타 고객 추천으로 연결될 가능성이 크다.

예: 치료 후 담당의사가 직접 해피콜을 해준다.

CHAPTER 1
CHAPTER 2
CHAPTER 3
CHAPTER 4
CHAPTER 5
CHAPTER 6
CHAPTER 7
CHAPTER 8
CHAPTER 9

* 고객접점(MOT) 체크리스트

고객 접점	항목	체크리스트		참고 사항 및 대안제시
		예	아니오	
전화 문의	전화 예약 시 통화연결음이 병원 소개로 되어 있는가?			
	예약 여부, 예약 시간 등을 신속히 확인이 가능한가?			
	표준화되며 병원의 특성을 나타내는 인사말로 전화를 받는가?			
	통화 음성이 밝고 친절한가?			
	벨이 3번 이상 울린 후 받았을 때 사과의 멘트를 하는가?			
	병원의 위치를 직원이 숙지하고 있으며 교통편에 대한 충분한 답변을 해주는가?			
	진료 시간과 진료비 문의에 친절하게 답변하는가?			
	전화 문의 끝난 후, 직원이 먼저 전화를 끊지는 않는가?			
	전화 통화 시, 환자와의 통화에만 집중하는가? (전화 도중, 다른 용무를 보지는 않는가)			
병원 홍보	지역 정보에 가입이 되어 있는가?			
	병원의 특성을 보여줄 수 있는 홈페이지를 운영하고 있는가?			
	진료 분야에 관한 충분한 홍보 자료들이 홈페이지에 마련되어 있는가?			
	홈페이지의 업데이트가 정기적으로 이루어지는가?			
	홈페이지에 병원 위치와 교통편에 대한 내용이 마련되어 있는가?			
	홈페이지에 의사 및 진료스텝에 관한 소개가 있는가?			
	병원 입구나 접수데스크, 대기실 등에는 병원의 로고와 홍보물이 제대로 비치되어 있는가?			
	홈페이지 외에 다른 특별한 병원 홍보 방법을 가지고 있는가?			
병원 접근성	외부(인접도로, 거리)에서 병원을 찾아보기 쉬운가? (간판, 안내용 사인물 등)			
	외부에 노출되는 간판에 로고와 병원명이 병원 이미지를 잘 드러내고 있는가?			
	지하철이나 대중교통을 이용하기에 편리한 위치인가?			
	진료시간 안내 표지판이 붙어 있는가?			

방문 주차	주차공간이 충분히 확보되어 있는가?			
	주차에 대한 안내를 해주는가?			
	환자들에게 주차비에 대한 부담을 주는가?			
병원 인테리 어	실내 조명은 적당한가?			
	벽지의 색은 화려하지 않고 병원 분위기에 적당한가?			
	깔끔하고 정돈된 느낌을 줄 수 있는 병원 인테리어를 갖추고 있는가?			
	환자가 이동하기에 복잡한 동선을 가지고 있지는 않은가?			
방문 시 응대	직원들은 환자에게 먼저 인사를 건네는가?			
	응대 시, 밝은 미소와 친절한 말투로 응대하는가?			
접수 및 대기	접수대가 비어 있지는 않은가?			
	접수대 주변이 혼잡하지 않은가?			
	환자나 보호자의 질문에 대해서 적극적으로 응답하고 관련 자료를 제공하는가?			
	접수처리 속도와 정확도가 알맞은가?			
접수 및 대기	직원이 업무 외에 사적인 일을 하고 있지 않은가?			
	환자의 프라이버시를 고려하지 않고 크게 질문하지는 않는가?			
	신환을 위한 인적사항과 관련된 설문지를 주는가?			
	구환일 경우, 환자들에 대한 관심 정도를 보이는가?			
	예상 대기시간에 대한 안내를 하는가?			
	대기시간이 최대 20분 이내인가?			
	대기시간 지연 시 고객에게 양해 및 협조를 구하는가?			
	장시간 대기 고객에 대한 불평 대처 능력이 신속한가?			

안내 자료 및 편의 시설	환자들은 병원의 새로운 소식에 대해서 게시판을 통해 접할 수 있는가?			
	게시판은 주기적으로 관리되고 있으며 환자들에게 유익한 정보로 구성되어 있는가?			
	대기실의 소파는 편안한가?			
	실내의 온도는 적당한가?			
	정수기, 차, 음료 등이 준비되어 있는가			
	장기간 대기 고객을 위한 인터넷 잡지 책 등이 구비되어 있는가			
	차별화된 부대시설이 있는가			
	병원 진료과목 홍보물이 눈에 띄게 전시되어 있는가			
상담실 환경 및 상담	환자의 성향과 질환에 맞는 상담을 하는가?			
	진료내용별 상담 자료가 구비되어 있는가?			
	상담실의 좌석과 조명, 향기 등이 환자에게 편안함을 주는가?			
	상담자는 진료 내용별로 충분히 지식을 가지고 환자에게 설명하는가?			
	상담자의 용모는 단정한가?			
	상담 시 친절한 태도와 미소를 가지고 상담을 진행하는가?			
	환자와 상담할 때 존칭을 사용하는가?			
	지나치게 치료를 권유하지는 않는가?			
	상담자는 환자의 말을 경청해 주는가?			
	상담이 끝난 후 협조에 감사하다는 표현을 하는가?			
	경쟁 병원을 비방하지는 않는가?			
진료실 환경	진료실은 외부와 차단되어 조용한가?			
	진료실 내부는 깨끗하게 정리되어 있는가?			
	병원 특유의 약품 냄새로 인해 환자가 불쾌함을 느끼지 않도록 환기, 방향 처리가 되어 있는가?			
	환자의 소지품을 보관할만한 장소가 마련되어 있는가?			

진료 과정	X-ray 촬영	X-ray 촬영 이유에 대한 충분한 설명을 해주는가?			
		촬영 시 주의사항에 대한 설명을 해주는가?			
		X-ray의 유해성에 대한 안내글이 기재되어 있는가?			
		납방어복을 착용해주는가?			
	진료 준비 사항	에이프런, 컵은 매 환자마다 새로 교환하는가?			
		기본 기구는 멸균이 된 상태로 packing되어 있는가?			
		이전에 본 환자에게 사용한 기구 등이 그대로 놓여 있지는 않은가?			
		환자가 이전에 받았던 치료 내용과 오늘 시행하게 될 치료 내용에 대해 직원들이 충분히 숙지하고 있는가?			
	치료 전	의사가 먼저 인사를 하는가?			
		환자 호칭 시 적절한 존댓말을 사용하는가?			
		치료비에 관한 충분한 설명이 이뤄지는가?			
		치료계획을 환자가 이해할 수 있도록 설명해 주는가?			
		치료 시 공포에 대해 환자가 안심할 수 있도록 해 주는가?			
	치료 중	의료진은 마스크와 글러브 등을 착용하고 있는가?			
		chair는 편안한가?			
		이루어지고 있는 치료과정에 대해 충분한 설명을 해주는가			
		suction 시에 불편함을 주지 않는가?			
		light가 얼굴에 비추어 불쾌감을 주지는 않는가?			
		치료 도중에 힘들지 않도록 쉴 수 있는 시간 등을 마련해주는가?			
		치료과정에 있어 술자의 미숙함으로, 불편을 주지 않는가?			
		진료 중 잠시 자리를 비워야 할 때, 양해를 구하거나 미리 설명해 주는가?			

진료 과정	치료 후	치료한 내용에 대한 자세한 설명을 해주는가?			
		치료가 끝난 후 협조에 대한 감사인사를 건네는가?			
		치료 후 주의사항에 대해 자세하게 설명을 해주는가?			
		챙겨온 소지품 등을 잊지 않고 꼼꼼히 챙겨주는가?			
		진료실에 나올 때 인사를 하는가?			
해피콜 리콜		해피콜이나 리콜 시에 친절한 태도를 보이는가?			
		해피콜이나 리콜 장부를 만들어 관리하고 있는가?			
		해피콜이나 리콜 일정을 확실하게 지키고 있는가?			
기타 사항	화장실 환경	화장실은 찾기가 쉬운가? (병원 내에 화장실이 있는가)			
		악취가 나거나 변기가 막혀 있지는 않은가?			
		휴지가 넉넉히 구비되어 있는가?			
		바닥이 미끄럽거나 더럽지는 않은가?			
		방향제는 준비되어 있는가?			
		비누는 준비되어 있는가?			
	직원들 의 태도	환자의 말을 경청하는가?			
		직원 간에 잡담 또는 환자에 대한 험담을 하지는 않는가?			
		친절한 말투와 미소로 응대하는가?			
		환자들의 존칭 등, 환자 응대 시 필요한 서비스 매뉴얼이 마련되어 직원들이 모두 숙지하고 동일하게 적용하고 있는가?			
	직원들 의 용모	환자가 거부감을 느낄 정도로 진한 화장을 하지는 않았는가?			
		손톱이 길거나 매니큐어를 바르고 있지는 않은가?			
		단정하지 않은 액세사리를 착용하고 있지는 않은가?			
		유니폼은 깨끗한가?			
		명찰은 착용하였는가?			
		머리는 단정하게 하였는가?			

01 의료서비스의 특성에 해당되지 <u>않는</u> 것은?

① 무형성
② 분리성
③ 이질성
④ 소멸 가능성

정답 **2**

의료서비스는 비분리성의 특성을 가지고 있다.

02 다음 고객접점(MOT)에 관한 설명 중 옳지 <u>않은</u> 것은?

① 고객접점(MOT)은 투우사가 소의 공격을 마주하는 찰나의 순간을 의미한다.
② 고객접점(MOT)의 대표적인 법칙에는 곱셈의 법칙, 통나무 물통의 법칙이 있다.
③ 고객접점(MOT)의 관리는 고객만족도에 영향을 주지 않는다.
④ 스칸디나비아 항공사의 얀 칼슨 사장에 의해 기업에 처음으로 고객접점(MOT)의 개념이 도입되었다.

정답 **3**

고객접점(MOT)을 잘 관리하면 고객 만족도를 높일 수 있다.

03 고객 만족의 효과로 옳지 <u>않은</u> 것은?

① 고객의 충성도를 높여 재구매 고객을 확보할 수 있다.

② 비용이 증대된다.

③ 광고 효과를 극대화시킬 수 있다.

② 시장 우위를 가져와 경쟁사의 진입을 막을 수 있다.

정답 2

신규 고객을 확보하는 것보다 기존 고객을 관리하는 비용이 훨씬 적게 들기 때문에 비용을 줄일 수 있다.

04 SERVICE의 키워드 중 I가 의미하는 것은?

① 성의, 스마일 넘치는 서비스

② 생생한 힘이 넘치는 서비스

③ 감명 깊은 서비스

④ 가치 있는 서비스

정답 3

SERVICE의 키워드

S(Sincerity)	성의, 스피드, 스마일이 넘치는 서비스
E(Energy)	생생한 힘이 넘치는 서비스
R(Revolutionary)	언제나 새로운 것을 신선하고 혁신적으로 제공하는 서비스
V(Valuable)	고객에게 매우 가치 있는 서비스
I(Impressive)	감명 깊은 서비스
C(Communication)	커뮤니케이션이 있는 서비스
E(Entertainment)	사려 깊은 배려가 있는 서비스

05 칼 알브레히트가 설정한 고객가치는 기본가치, 기대가치, 희망가치, 미지가치 등 4단계로 나눈다. 이중 환자가 전혀 예상치 못한 서비스를 받고 놀라는 고객감동의 단계는?

① 기본가치
② 기대가치
③ 희망가치
④ 미지가치

정답 4

칼 알브레히트(Karl Albrecht)의 고객가치 4단계

1) 기본가치
   기본적 수준의 가치로 병원을 찾은 뒤 병이 낫는 것이다.
2) 기대가치
   고객이 보편적이고 평균적으로 갖는 기대치로 경쟁사와 비교할 때 차별적인 요소는 될 수 없다.
3) 희망가치
   고객이 구체적인 기대를 갖고 있지는 않지만 충족되었을 때 높은 고객 만족도가 생기며 경쟁사와 차별화되는 가치다.

06 고객접점(MOT) 사이클 차트에 대한 설명으로 옳지 <u>않은</u> 것은?

① 서비스 프로세스에서 나타나는 일련의 고객접점(MOT)을 보여주는 시계 모양의 도표이다.
② 서비스 사이클 차트라고도 한다.
③ 고객은 서비스 과정에서 경험하는 한 부분만을 가지고 품질을 평가한다.
③ 고객이 경험하는 고객접점(MOT)들을 원형차트의 한 시 방향에서 시작하여 순서대로 기재한다.

정답 3

고객은 서비스 과정에서 경험하는 전체를 가지고 품질을 평가하므로 고객접점(MOT) 사이클은 매우 중요하다.

CHAPTER 1 · CHAPTER 2 · CHAPTER 3 · CHAPTER 4 · CHAPTER 5 · CHAPTER 6 · CHAPTER 7 · CHAPTER 8 · CHAPTER 9

세일즈에 대한 이해

Dental Management Officer

세일즈에 대한 이해

Dental Management Officer

06

1. 세일즈 정의/세일즈 모델

1) 세일즈의 정의

세일즈란 지속적인 활동을 근거한 쌍방 간의 상호작용을 통한 과정이며, 상담자는 자신의 지식과 스킬을 활용하여 고객이 세일즈 프로세스의 다음 단계로 이행토록 독려해 궁극적으로 상품과 서비스를 구매/사용하게 하는 존재이다.

치과 상담 역시 본질은 '세일즈'임을 명심해야 한다.

치과 상담자는 환자의 구강 건강과 궁극적인 행복을 위해 우리 병원의 양질의 진료를 제공하고자 치료 동의율을 높이는 데 최선을 다한다는 마음가짐으로 상담에 임해야 한다.

2) 세일즈 모델

(1) 과거의 세일즈 모델: 삼각형 모델(판매 중심적 접근방식)

① 10%: 고객과의 관계에 초점, 아이스 브레이크 차원의 첫 대면 relate

② 20%: 비용에 대한 여력이 있는가? 내 상품을 구매할 능력이 있는가? 구매한다면 어느 정도 선에서 구매가 가능한가 즉, 고객을 평가하는 과정

③ 30%: 구매 능력이 있다고 판단되면 주력 상품에 대한 특성 설명

④ 40%: 세일즈 성사시키려는 노력

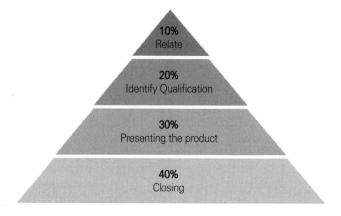

3) 현재의 세일즈 모델: 역삼각형 모델

① 40%: 고객과 신뢰를 쌓는 과정

신뢰를 쌓는 과정이 필요한 이유: 제대로 된 세일즈를 통해 Win-Win의 관계를 만들어 지속적인 세일즈가 가능한 소개의 황금률 등을 만들어내기 위함

② 30%: 신뢰 구축을 통해 마음을 연 고객의 숨겨진 니즈 찾아내는 데 사용

③ 20%: 고객의 니즈를 찾았다면 니즈에 입각하여 고객이 진정으로 원하는 이익을 어필하기 위해 특징을 이용하여 상담하는 과정

④ 10%: 구매 결정

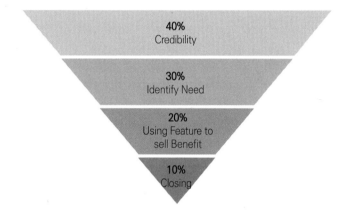

세일즈에서 마무리, 클로징이라고 하는 과정을 잘하기 위해서는 이 상품이 고객에게 어떤 이익을 줄 수 있는지를 잘 설명해서 고객을 납득시켜야 한다. 또 상품이 줄 수 있는 이익을 설명하려면 고객이 어떤 니즈를 가지고 있는지 알아야 한다. 고객이 가진 니즈에 해당하는 이익을 설명해야 고객이 납득할 수 있다.

클로징은 두 삼각형 모두에 존재하지만 의미는 다르다. 역삼각형의 클로징은 위의 모든 단계를 모두 녹여낸 10% 즉, 90%가 녹아난 마무리이기 때문에 영향력은 더욱 크다.

2. 상담자의 마음가짐/역량

1) 상담자의 마음가짐

(1) 역지사지[易地思之]

[맹자(孟子)]의 '이루편(離婁編)' 상(上)에 나오는 '역지즉개연(易地則皆然)'이라는 표현에서 비롯된 말로 다른 사람의 처지에서 생각하라는 뜻이다.

세일즈를 잘하기 위해서는 '어떻게 하면 잘 팔 것인가?'를 고민하는 것보다 '내가 고객이라면 어떤 상담자에게 왜 구매할 것인가?'를 생각해보는 태도가 필요하다.

내 상품을 고객에게 권할 때 항상 '나라면? 내 가족에게 이 상품을 판다면 나는, 내 가족은 이 상품이나 서비스를 구매할 것인가?'를 끊임없이 질문하고, 그 답에 자연스럽게 'Yes'가 나올 수 있도록 노력해야 한다.

(2) 공감

'타인의 생각이나 감정을 자기의 내부로 옮겨 넣어 타인의 체험과 동질의 심리적 과정을 만드는 일'이라고 정의할 수 있으며 크게 두 가지 축으로 이루어진다.

인지적 공감: 다른 사람의 생각을 읽어내는 것

정서적 공감: 감정을 공유하는 것

(3) 책임감과 프로의식

상담자는 결과에 상관없이 최선을 다할 수 있는 책임감과 프로의식이 필요하다.

고객은 어떤 상품이나 서비스를 구매할 때 이 상품을 계약함으로써 내가 지불한 돈만큼의 가치가 있을 것이라는 '이익에 대한 기대'와 그렇지 못할 것이라는 '손해에 대한 두려움' 사이에서 갈등하게 된다. 상담자는 고객의 'No'를 두려워한다.

승패가 이미 기울어진 상담이라 할지라도 상담자는 끝까지 책임감과 프로의식을 가지고 최선을 다하는 태도가 중요하다.

CHAPTER 1
CHAPTER 2
CHAPTER 3
CHAPTER 4
CHAPTER 5
CHAPTER 6
CHAPTER 7
CHAPTER 8
CHAPTER 9

✚ 더 알아보기

[대화를 촉진하는 상담자의 태도와 기법]

대화를 촉진하기 위해 상담자는 기본적으로 관심 기울이기, 적극적 경청, 무조건적 긍정적 존중, 공감적 이해, 일치성, 구체화하기 등의 기본적 태도를 보여 줄 필요가 있다. 이러한 상담자 태도의 많은 부분은 인간중심 상담 이론을 주창한 로저스가 강조하고 있는 것들이다.

1) 관심 기울이기

상담자가 내담자에게 관심과 배려를 전달하고 보여주는 것으로 주로 자세, 표정, 목소리 등의 비언어적인 행동을 통해 전달된다. 구체적인 행동으로는 내담자를 향해 앉고, 개방적인 몸자세를 취하며 부드러운 시선과 부드러운 말소리, 긴장하지 않고 편안한 태도를 보여 주는 것이다.

2) 적극적 경청

사람을 움직이는 중요한 무기는 '입'이 아니라 '귀'이다. 적극적 경청은 내담자의 언어적/비언어적 메시지 뒤에 숨어 있는 마음의 소리를 듣는 것이다. 상담자는 내담자의 감정, 사고, 소망, 맥락 등을 원래 의도에 맞게 파악함과 동시에 내담자가 현실에 대해 가지고 있는 부적응적 시각, 사고, 감정, 행동 영역에서 변화되어야 할 부분, 상담자가 공감하거나 직면시켜야 할 부분 등을 함께 발견해야 한다.

3) 무조건적 긍정적 존중

상담자가 내담자를 하나의 인격체로 온화하고 진실하게 대하며 내담자의 감정, 생각, 행동의 좋고 나쁨을 판단하지 않고 있는 그대로 내담자의 모습을 따뜻하게 '수용'하는 것을 말한다.

'비소유적 온정'이라고도 하는데 내담자에게 결론을 강요하지 않고 내담자가 자신의 감정을 완전히 표현할 기회를 제공하는 것이다.

4) 공감적 이해

공감적 이해는 '감정 이입적 이해', '내적 준거 체제에 의한 이해'라고도 하며 상담 과정 순간순간의 상호작용에 나타나는 내담자의 경험과 감정을 민감하고 정확하게 이해하는 것을 말한다. 로저스는 공감을 '내담자의 현상학적 세계에 들어가는 능력'이라고 하였는데 내담자의 세계를 상담자 자신의 세계인 양 경험하는 것을 말한다. 이것은 상담자가 내담자의 위치에서 그의 정서를 같이 경험하는 동정과는 다른 것인데 공감은 '지각'과 '의사소통'의 두 가지 기술을 필요로 한다.

5) 일치성

일치성은 진실성, 순수성이라고도 하는데 상담자가 자신의 내적 경험과 외적 표현이 일치되도록 하는 것을 말한다. 내담자가 상담자의 질문에 아무 대답도 하지 않고 고개만 숙이고 있어서 상담자가 답답함을 느꼈다면, "당신이 아무런 말도 하지 않고 있으니 내가 답답한 마음이 드는군요."라고 상담자 자신의 느낌을 솔직하게 표현하는 것이 일치성이다. 그런데 솔직하게 표현하는 것과 생각 감정 등을 충동적으로 개방하는 것은 구별되어야 하며, 상담자가 일치성을 유지하기 위해서는 자기인식, 자기수용, 자기 진실성의 수준이 높아야 한다.

6) 구체화

구체화란 내담자의 표현 중에 불분명하고 불확실한 부분, 애매모호하여 혼란을 주는 부분, 내담자 특유의 지각이 반영되어 선뜻 이해하기 어려운 부분 등을 정밀하게 확인하는 기법을 말한다. 명료화가 내담자 표현의 전후 문맥을 분명히 하기 위한 기법이라면 구체화는 내담자가 사용하는 언어의 내용을 구체적으로 확인하는 기법이다.

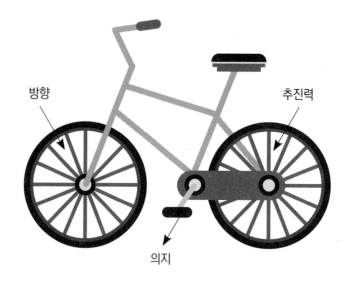

방향

추진력

의지

2) 상담자의 역량(자전거 이론)

(1) 페달: 상담자의 의지, 열정

천천히 달릴지 빨리 달릴지, 쉬었다 갈지 꾸준히 달릴지는 자전거를 탄 사람의 의지에 달린 것이다. 세일즈하고자 하는 상담자의 열정이 없으면 세일즈는 이루어지지 않는다.

(2) 뒷바퀴: 풍부한 지식

자전거의 추진력이 되는 뒷바퀴이자 세일즈의 힘은 많이 알수록 고객에게 줄 정보가 많아지고 고객과의 수평적인 대화가 이루어질 수 있다. 내가 판매하는 상품에 대해서는 어떤 전문가가 오더라도 이겨낼 수 있을 정도의 지식이 필요하다.

(3) 앞바퀴: 세일즈 스킬

자전거 앞바퀴의 역할은 뒷바퀴에서 나온 추진력을 효율적으로 운영하는 것이다. 뒷바퀴가 열심히 굴러가도 방향을 조절하는 앞바퀴를 마음대로 운전하지 못하면 원하는 방향으로 나아가지 못한다. 본인이 가진 지식을 효과적으로 전달하기 위한 방법이 세일즈 스킬이다.

3) "자전거의 조화를 이루어라"

자전거는 앞바퀴, 뒷바퀴, 페달이라는 3요소가 균형을 이룰 때 조화롭게 나갈 수 있다. 즉, 50, 50, 50이 되는 것이 조화이고, 100, 100, 100이 되는 것 또한 조화이다.

한 번에 100, 100, 100을 똑같이 만들 수는 없다. 우선순위에 맞게 역량을 키우는 것이 효과적이다. 초보 상담자의 경우 "하려고 하는 의지"인 페달의 힘이 강할 것이다. 이때는 열정을 이용한 세일즈를 하면서 점차적으로 자전거 앞바퀴와 뒷바퀴를 늘려가야 한다. 많은 고객을 만나다 보면 자전거 앞바퀴에 해당하는 세일즈 스킬이 발달된다. 그리고 고객들 역시 전문성을 요구해 올 것이고 전문지식의 향상을 위해 노력하게 된다. 전문지식이 많이 늘어나면 고객을 가르치려 들게 될지 모른다. 그러면 다시 세일즈 스킬을 연마할 필요성을 느끼게 될 것이다.

3. 세일즈 프로세스

1) 잠재고객 발굴하기(Prospecting)

세일즈를 하기 위해서는 고객 분류를 이해하고 잠재고객을 발굴하여 다양한 방법을 통해 고객을 개발할 필요가 있다.

2) 고객에게 다가가기/신뢰감 형성(Approaching)

세일즈를 위한 두 번째 단계로 잠재고객을 발굴한 후에는 고객에게 친밀도를 높여 다가갈 수 있어야 한다. 세일즈 클로징 단계에서 성공으로 이끌기 위해서는 상담을 잘 이끌어와야 하고, 고객의 니즈를 정확히 파악해야 하며, 니즈 파악은 신뢰가 쌓아진 상태에서 가능하다.

(1) 신뢰 형성을 위한 방법
① 라포

라포란 '가져오다', '참조하다'는 프랑스어에서 파생된 단어로서, 사람과 사람 사이에서 생기는 상호신뢰 관계를 나타내는 용어이다. '친밀한 관계'라는 뜻을 가지고 있으며 상호 간에 신뢰하며 긍정적인 감정을 형성하고 친근감을 느끼는 인간관계를 말한다.

라포형성을 위한 방법

- 감정이입: 고객과 같은 감정을 공유하고 있음을 표현하는 것
- 공감대 형성
- 존중: 이름을 기억해서 호명해주고, 매너를 갖추고, 해당 분야에서 자주 쓰는 용어를 사용하는 것

② Credibility(깊은 신뢰 쌓기)

- 전문적인 지식: 상품과 서비스에 대한 지식, 그 분야에 대한 트렌드 제공함으로써 실력에 의한 신뢰를 쌓을 수 있다.
- 솔직함: 실력이 갖추어 져야지만 가능한 부분으로 제품의 단점도 이야기할 수 있는 솔직함
- 확신감: 이 상품을 선택하길 잘했다는 확신을 줄 때 손해에 대한 두려움을 줄이고 이익에 대한 기대를 높일 수 있다.

둘 중에 무엇이 옳고 그른 것은 없다. 둘 다 고객에게 이익을 줄 수 있는데 어떤 이익이 좀 더 고객 중심적이며 더 멀리 갈 수 있는 것인가를 고민하고 사용해야 할 것이다.

3) 니즈 파악(Needs grasp)

세일즈에서 고객의 잠재적 니즈를 파악하고 니즈를 창출하는 것이 무엇보다 중요하다. 따라서 고객의 말에 경청하고 숨은 니즈를 파악하기 위한 질문 기법들을 활용하도록 한다.

(1) 고객의 욕구

① 기본적인 욕구

제공하는 상품이나 서비스와 직접 관련된 욕구로 상품에 따라 다름
예: 효과성, 생산성, 편리성, 안전성

② 직업적인 욕구

가격과 직접 관련된 부분으로 가계(개인) 혹은 회사운영(기업)과 관련된 욕구

③ 개인적인 욕구

개인 성향에 따른 욕구

예: 명예욕, 행복감, 자부심 등

(2) 니즈 파악을 위한 경청

이야기를 잘 들으면 상대방의 요구를 파악할 수 있는 정보수집이 가능하고, 무엇보다 잘 들어주는 사람에게 상대방은 호감을 느낄 수밖에 없으므로 '듣는 것'은 매우 중요하다.

적극적 경청의 단계 및 주요내용	
단계	주요 내용
준비 단계	• 시간 및 장소를 고려 • 경청을 방행하는 요소 제거 • 편견 및 선입견 제거 • 상호 기본적인 이해
경청 및 반응단계	• 고객 관점의 경청 • 이해하고 있다는 것을 보여준다(언어적/비언어적 반응 활용/ 필요시 메모). • 고객의 숨겨진 이면에 집중
마무리 단계	• 고객의 사고, 감정, 이해를 반영하여 이견이나 생각을 요약하고, 경청 내용에 대한 명료화 과정 • 격려, 칭찬, 인정도 함께 해줄 수 있다면 더 효과적이다.

(3) 니즈 파악을 위한 전략적 질문

상황질문	• 배경 사실과 자료를 수집하는 질문 • 지나치게 많이 사용할 경우 고객을 지루하게 하거나 짜증나게 만들 수 있으므로 절제해서 사용해야 한다. • 사실적인 정보를 알아내기 위한 기복적인 상황 질문은 필수적인 정보를 제공해 주므로 최대한 효율적으로 사용해야 한다. 예: "현재 사용하고 있는 노트북은 언제 구입하셨고, 금액은 얼마였나요?"
문제질문	• 고객의 문제나 어려움 또는 불만을 밝혀내는 질문 • 고객의 문제를 자신의 제품으로 해결할 수 있는지 이해하고 적절한 문제 질문을 던진다. 예: "현재 사용하고 있는 노트북의 문제점은 무엇입니까?"
시사질문	• 고객의 문제의 시사점이나 그것을 야기하는 결과를 탐색하는 질문 • 고객의 불만을 개발하고, 가장 효과적인 해결책을 제공할 수 있는 영역에 대한 불만을 강화하는 데 유용하다. 예: "그 문제로 인해 향후 예상되는 것들은 무엇이 있나요?"
해결질문	• 문제해결의 가치나 유용성을 탐색하는 질문 • 자신이 제공할 수 있는 해결책을 바탕으로 질문한다. 예: "시스템을 업그레이드한다면 어떻게 될까요?"

4) 상품 설명하기(Presentation)

위의 단계에서 고객과 신뢰가 형성되었다면 상품 설명 시 보다 더 쉽게 받아들여질 수 있다. 고객은 제품이 주는 성과, 즉 니즈를 해결해주는 제품의 이점을 산다. 다시 말해 우리는 제품 그 자체를 사는 것이 아니라 제품이 주는 이점을 사는 것이다. 고객에게 그 제품이 어떤 이점이 있고 왜 그 제품이 그에게 필요한지 설명해 주어야 한다.

(1) 특징/기능/이점에 대한 이해

고객에게 상품에 대해 설명을 할 때 막연하게 "좋아요"가 아닌 전략적 설명 기술을 사용한다.

① 특징

제품이나 서비스가 가진 하나의 특성이다. "제품이나 서비스가 어떤 것인가?"

② 기능

제품이나 서비스가 수행하는 특별한 역할, 우리 상품만이 가지고 있는 독특한 성격 "제품이나 서비스가 어떤 역할을 하는가?"

③ 이점

특징과 기능을 사용할 때 얻게 되는 좋은 점 "그 특징과 기능이 어떤 이익을 주는가"

④ 특징을 이용해, 이익을 세일즈한다.

상품에는 장단점이 있는 것이 아니고, 특징에 따른 이익만이 존재한다.

특징을 말하고 'so what?'을 떠올리고 이익으로 연결한다. 또 그 이익은 다시 특징이 되어, 'so what?'을 통해 다시 이익을 찾아낼 수 있다. 특징을 말해 고객의 관심을 유발하고 이익을 통해서 고객이 최대로 원하는 것을 만족시켜야 한다.

5) 반론 극복하기(Persuasion)

반론은 근본적으로 거절이 아니라 반대의견을 제시한 고객의 심리상태이며 거절과는 다르기 때문에 합리적이고 적절한 대응에 의해 설득될 수 있다.

(1) 반론의 유형

① 의문 사항에 대한 질문

고객의 질문에 대한 답을 알고 있다면 간결하고 정확하게 정보를 제공해야 한다.

모르는 것은 모른다고 말하고 정확하게 알아낸 정보를 제공함으로써 신뢰를 쌓아야 한다.

② 혼동에 대한 대처

고객의 혼동으로 인한 잘못을 제대로 가르쳐주려 해도 고객이 착각하거나 진짜 혼동하고 고집을 부리기도 한다. 맞서 대응해서는 안 되고 자신의 의견을 펼치기보다는 어떤 점에서 혼동하고 있는지 밝히고 그 부분을 해결해야 한다(그 분야의 여론을 주도할 수 있는 오피니언 리더를 활용하여 대처).

③ 상품이 가진 일반적인 약점에 대한 대처

약점을 능가할 상품의 강점으로 보완해야 하며 그 이전에 그 반대가 고객에게 얼마나 중요한가에 대한 파악이 우선이다.

④ 불신에 대한 대처

객관적인 자료가 필요하다(예: 공인된 기관에서 검증 받은 자료, 전문가의 견해).

⑤ 변화 싫어하는 고객에 대한 대처

상품이나 서비스가 갖는 이점을 명확히 하며 서비스 등 상품 외적인 선택 동기를 제공하도록 한다.

(2) 반론에 대한 대처

① 고객의 반론에 바로 응대하지 말고 우선 격한 고객의 감정을 중화할 필요가 있다. '인지'의 방법을 활용한다. "예, 그렇습니다."처럼 고객의 말에 동조를 하는 것이 아니라 "그럴 수도 있겠네요."라는 식으로 고객이 불안한 상태이고 불만을 가지고 있다는 사실을 인지해주는 것이다.

예) 고객: 이 상품은 비싸서 못 쓰겠어요.

　　상담자: 어떤 상품에 대해 고려하실 때 가격 역시 중요한 요인이 될 수 있죠.

② 중화 시킨 후에 정확하게 어떤 점에 대해 반대를 제기한 것인지를 명확히 할 필요가 있다. "그렇게 생각하시는 특별한 이유가 있습니까?"와 같이 고객이 던진 반대를 좀 더 구체적으로 알아보는 것이다.

6) 상담 마무리하기(Closing)

(1) 클로징의 정의 및 활용

• 세일즈에 있어 마무리 단계라고 할 수 있으며 무엇인가를 결정 또는 선택을 촉구하는 데 필요한 기법이다.
• 전체 세일즈 과정에 대한 인상을 결정하는 단계이므로 사전에 어떻게 마무리지을 것인지 준비하는 것이 바람직하다.
• 클로징은 단순히 대화 종결을 의미하지는 않으며 공감과 설득을 통해 고객의 최종의사를 확인하고 그에 따른 결정을 촉진시키는 것이라고 할 수 있다.

- 클로징은 타이밍이 중요하며 적절한 시기나 상황에 개입하여 결정을 유도 또는 촉진해야 하므로 너무 서두르거나 너무 느리게 진행되지 않도록 한다.
- 클로징의 단계인지 아닌지 고객과의 언어적, 비언어적 커뮤니케이션을 통해서 파악할 수 있으므로 세일즈 과정에서 고객이 보내오는 신호를 잘 파악할 수 있도록 한다.
- 클로징 과정이 실패할 수도 있으나, 고객의 이익을 위해 최선을 다한 세일즈를 했다면 그 고객에게 여운을 남길 수 있다. 그 고객이 다시 필요를 느낄 때 기억하고 찾을 수 있도록 해주는 것 또한 중요하다.

(2) 클로징 기법

권유형 클로징 기법	직설적이며 간단하다. 고객에게 자연스럽게 결정을 권유하면서 거래를 마친다. 예: "혹시 더 궁금하신 사항 있으십니까?"
지시형 클로징 기법	계속해서 실행계획 또는 앞으로 일어날 일 등에 대해 설명하는 마무리 기법 예: "향후 변경이나 의문 사항이 있으실 경우 전화/내방하시면 됩니다."
양자택일 클로징 기법	사람들이 선택의 여지가 있는 것을 선호한다는 사실에 근거를 둔 방식으로 해당 고객에게 어울릴 만한 적절한 대안을 들어주며 클로징을 유도한다. 예: "설명드린 전자와 후자 중에 어떤 것이 좋으세요?"
2차적 클로징 기법	고객이 먼저 작은 결정들을 차근차근 해 나감으로써 비교적 큰 결정을 쉽게 내릴 수 있도록 돕는 마무리 기법 예: "말씀드린 부분이 잘 해결되었나요? 그럼 다음 단계는요?"
승인형 클로징 기법	세일즈 상담 막바지에 주문서나 판매계약서를 꺼내어 작성하기 시작하는 방식이며 주문서 마무리라고도 한다. 예: "고객님께서 이 제품을 구매하신다면 품격이 달라지실 거예요."

(3) 세일즈 마무리를 위한 전제 조건

고객	• 고객이 구매 결정을 하기 전에 충분히 구매 욕구가 유발되어야 한다. • 고객이 서비스 세일즈맨과 기업을 신뢰해야 한다. • 고객이 상품이나 서비스를 필요로 해야 한다. • 고객이 제품을 활용할 수 있어야 한다. 서비스 세일즈맨은 고객이 제품의 이점을 최대한 활용할 수 있도록 해야 한다. • 고객이 상품과 서비스를 구매할 수 있는 금전적 능력이 있어야 한다.
서비스 세일즈맨	• 서비스 세일즈맨이 열정적이어야 한다. • 긍정적인 생각과 자신감을 가지고 고객에게 혜택을 드린다는 확신을 가져야 한다. • 서비스 세일즈맨은 고객 상담 및 마무리 기법을 알고 있어야 한다. • 고객이 이의를 제기하더라도 기꺼이 받아들일 준비를 해야 한다.

7) 고객과의 관계유지(Follow-up)

상담자는 고객의 구매 결정 이후에도 고객과의 지속적인 관계 유지를 통해 추가적인 세일즈 결과를 만드는 데 주력해야 한다.

(1) 로열티 프로그램

자사 및 브랜드에 대한 충성도를 높이고 고객 정보를 수집하여 마케팅이나 세일즈에 활용하기 위한 방법이다.

예: 쿠폰, 포인트제도, SMS를 통한 소통

(2) 고객 이탈방지

고객 이탈방지를 위해 주기적인 접촉 관리가 매우 중요하며, 이탈고객(예: 1년간 무거래 고객)에 대한 명확한 정의를 내리고, 이탈고객이 누구인지 식별할 수 있어야 한다.

(3) 이탈고객 재유치

이탈고객의 재유치는 신규고객 창출보다 더 어려울 수 있으며, 이탈 사유를 파악하는 과정이 우선시 되어야 한다.

➕ 더 알아보기

상담 후 셀프 피드백

상담에서 사용했던 지식과 세일즈 스킬에 대한 피드백을 하고, 스스로 잘했다고 생각하는 부분은 강화하고 아쉬움이 남는 부분은 보강하여 다음에 더 잘할 수 있도록 하는 것을 말한다.

1) 페달: 얼마나 열정을 가지고 임했는가 피드백 보고서를 위한 세일즈였는가 주도적인 세일즈였는가
2) 뒷바퀴: '이 기능에 대해서 더 정확히 알았다면 좀 더 당당하게 말할 수 있었을 텐데…'라고 생각되는 부분을 셀프 피드백을 통해 보완한다.
3) 앞바퀴: 세일즈 프로세스 전체를 보고 피드백을 한다.

4. 실전 세일즈 화법

1) 세일즈 언어

(1) '가치'가 담겨 있어야 한다.

가치란 '고객이 의미 있다고 느끼는 것'을 말하며, 고객이 그 가치를 납득하도록 충분히 세일즈해야 한다. 즉 고객의 입장에서 '의미'를 느끼는 세일즈가 곧 '가치 있는 세일즈'이다.

(2) 상담자의 확신이 전달되어야 한다.

고객은 말하는 대로 받아들이기 때문에 세일즈 언어는 선별해서 사용해야 한다.

"많은 고객분을 뵙다 보니 그렇더라고요."
→ "많은 고객분을 뵈면서 놀라운 사실을 발견했습니다."

"-라고 생각합니다. -인 것 같습니다."
→ "-라고 확신합니다. -은 매우 중요합니다."

"시간 관계상 짧게 말씀드리자면"
→ "시간이 없어도 이 부분은 기억해야 합니다."

CHAPTER 1
CHAPTER 2
CHAPTER 3
CHAPTER 4
CHAPTER 5
CHAPTER 6
CHAPTER 7
CHAPTER 8
CHAPTER 9

"아까 말씀드렸죠? 아실 만한 부분이니까 넘어가고요."
→ "기억하십니까? 이 부분! 들어본 것과 아는 것은 다릅니다."

"저보다 잘 알고 계시리라 생각합니다만"
→ "이 분야에서는 분명 제가 전문가입니다."

스스로 확신한다면 그 확신을 언어에 담아 그대로 전달해야 한다.

2) 질문 습관
(1) 특정 질문과 확대 질문
① 특정 질문
겨냥하는 것이 무엇인지 정확히 알고 던지는 질문. 예/아니요(폐쇄형 질문)

② 확대 질문
상대가 원하는 기대가 무엇인지 깊이 있게 말하도록 만드는 질문(개방형 질문)

③ 질문을 할 때는 특정 질문 → 확대 질문의 순서로 질문한다.
본격적인 설명에 앞서 특정 질문으로 고객에게 '예'라는 대답을 많이 이끌어 내면 유리하다. 고객은 이미 긍정의 신호를 충분히 보낸 뒤라 자칫 부담스러울 수 있는 후속 질문에도 쉽게 대답할 수 있다.

(2) 부정 질문과 긍정 질문
부정 질문은 부정적인 연상을, 긍정 질문은 긍정적인 연상을 이끌어 낸다.
"고객님 지금 당장 결정을 못 내리는 이유가 뭘까요?"
→ "고객님 어떤 고민을 제가 해결해 드리면 더 편하게 선택하실 수 있을까요?"

(3) 과거 질문과 미래 질문
① 과거 질문
고객이 과거에 경험했음 직한 긍정적 연상을 이끌어내 질문하는 것
"과거에 하셨던 선택 중에서 지금 생각해도 '참 잘했다' 싶은 경험이 있으십니까?"

② 미래 질문

앞으로 이러저러하게 될 수 있다는 기대를 갖도록 만드는 질문이다.

고객의 막연했던 기대를 좀 더 구체화하도록 돕는 역할을 한다.

"이 상품 혹은 서비스로 앞으로 무엇을 이루고자 하십니까?"

3) 상담의 필수 화법

(1) 선택지를 주는 폐쇄형 질문(Closed-ended question)

개방형의 질문은 상담자가 원치 않는 대답이 나올 수 있는 가능성을 가지고 있다. 반대로 폐쇄형 질문의 경우 상담자가 원하는 대답 중에서만 대답이 나올 수 있도록 하는 질문 방법이다. 폐쇄형 질문을 할 때 선택지를 제시해주면 환자는 본인에게 더 유리한 쪽으로 고민 후 결정하기 때문에 보다 더 기분 좋은 결정을 할 수 있다.

"가장 먼저 치료하고 싶으신 곳이 어디인가요?"

"수술하시는 게 토요일이 편하시다면, 12일과 19일 중 언제가 가장 편하신가요?"

(2) IF 가정법 질문

환자가 치료를 망설이거나 거절할 때 활용하는 질문이다. '만약'이라는 가정으로 시작하여, 해당 거절요인만 해결된다면 치료에 동의하는지에 대해 물어보고 환자가 이 질문에 동의할 경우 거절요인에 대한 해결을 해줌으로써 치료의 동의를 이끄는 과정이다.

"만약, 통증이 적다면 치료를 하실 수 있겠습니까?"

"만약, 비용 부담이 없으시다면 치료를 받을 수 있겠습니까?"

"만약, 부담되신다면 중요한 치료만 일단 치료하시는 것은 괜찮으신지요?"

(3) 역질문(Reflecting question)

환자의 질문에는 무조건적인 대답이 우선이 아니라, 재질문을 통해 환자가 원하는 방향성을 정확히 파악하고, 이에 맞는 해결책을 제시하는 과정이 필요하다.

환자의 질문	상담자의 역질문
"비용은 얼마나 드나요?"	"얼마 정도 금액이면 부담 없으시겠습니까"
"임플란트 하는데 얼마나 걸리나요?"	"혹시 언제까지 저희가 따로 맞춰드려야 하는 기간이 있으실까요?"

4) 질문 화법

(1) 상대가 진짜 원하는 가치를 파악하는 질문

"지금까지 전체적인 관점에서 말씀드린 사항 중에서 어떤 점이 특별하게 와 닿으시나요?"

→ 상대의 가치 인식 상황을 점검하기 위한 질문

"혹시 선택하기 어렵다면 어떤 이유 때문인지 여쭤봐도 될까요? 저도 같이 고민해보고 도와드리고 싶습니다."

→ 최종 결정을 위한 저항요인을 파악하여 가치를 인식시키기 위한 질문

"그때 그 선택은 당시로써는 최선의 선택이었다고 느껴집니다. 어떤 점을 특별히 고려하셨기에 그런 선택을 하셨는지 궁금해서 꼬 여쭤보고 싶습니다."

→ 과거의 선택에 대해서 합리화하는 경향이 있기 때문에 새로운 제안을 할 때는 과거의 선택을 존중하면서 진짜 제안을 던진다.

"중요한 사항인데, 혹시 의견을 같이 참고해서 결정해야 할 분이 있지는 않으신가요?"

→ 최종 결정권자, 즉 고려해야 할 또 다른 상대가 없는지 확인하기 위한 질문

(2) 비용 저항에 대한 해결을 위한 질문

① 공감세일즈 화법 3F

- Feel(느끼다): 당신이 어떻게 느끼는지 충분히 이해합니다.
  "고객님께서 비싸다고 느끼시는 것 충분히 이해합니다."
- Felt(느꼈다): 저도 그랬고 다른 분들도 대부분 그렇게 느꼈죠.
  "저도 그랬고 다른 분들도 대부분 처음에는 비싸다고 느꼈습니다."
- Found(발견하다): 그렇지만 그분들도 고민해 본 다음 -라는 것을 발견했답니다.
  "그렇지만 이 상품은 한번도 써보지 않은 분은 있어도 한번만 써본 분은 없는 상품입니다. 한번 구매한 분들은 꼭 재구매를 합니다. 처음에 느꼈던 금액 부담이 중요한 게 아니라 쓰면서 누리는 가치가 훨씬 더 중요하다는 걸 발견하더라구요."

158 치과경영관리사 **커뮤니케이션이론**

② 비용 저항 해결의 상담 스크립트 예시

A. 비용 이외의 추가적인 저항이 있음을 확인하는 과정

상담자: 가격이 그만한 가치가 충분히 있다면 결정하시겠어요?

환자: 아니요.

상담자: 주저하시는 데 다른 문제가 있을 거 같은데 그 이유가 어떤 건지 여쭤봐도 되겠습니까?

B. 비용 저항에 대한 해결

상담자: 가격이 그만한 가치가 충분히 있다면 결정하시겠어요?

환자: 네. 마음에는 드는데 가격이 좀...

상담자: 한 가지 여쭤볼게요. 저희 병원이 마음에는 드세요? 정말 마음에 든다면 가격이 문제가 될까요?

환자: 가격이 비싸면 고민이 되죠.

상담자: 가격은 구매하는 날 한 번만 고민하면 됩니다. 하지만 품질은 사용하는 내내 고민이 될 거예요. 이점을 감안하고 한번 생각해보세요. 적정 가격에서 낮은 돈을 투자하는 것보다는 예상보다 조금 높은 것을 투자하는 게 낫지 않나요? 이유는 간단합니다. 예상보다 조금 더 많은 돈을 투자하는 건 약간의 추가 비용을 의미합니다. 반면 더 적은 돈을 투자하면 제 기능을 못 하는 등의 이유로 투자한 돈 전부를 잃게 되죠.

상담자: 가격에 신경을 쓰신다니 기쁘네요. 그건 저희 치과의 가장 큰 장점입니다. 저희 치과도 수가를 정할 때 최대한 저렴하게 해서 그럭저럭 버텨낼지, 아니면 장기적인 만족을 드릴 것을 우선으로 할지 선택을 해야 했습니다. 그리고 당연히 후자를 택했습니다. 좋은 건 싸지 않고 싼 것 치고는 좋은 것이 없다는 것을 알지 않습니까? 오랫동안 믿고 다닐 수 있는 치과를 원하시는 거죠? 가격을 한번 설득하는 게 낫지, 낮은 품질로 계속 사죄드리는 건 하지 않습니다. OOO님 생각에도 그걸 더 좋아하실 것 같은데 어떠세요?

C. 비용 쪼개주기

상담자: 비용 차이가 200만 원이네요. (메모에 200 적어서 보여주기) OOO님 지금 30살이시니 교정을 하면 지금부터 최소 30-40년 동안 예쁘

고 가지런한 치아를 가지시는 거고, 치아를 더 건강하게 유지할 수 있는 비용의 차이가 200인 셈이네요. 1년으로 치면 5만 원, 한 달에 4,166원 정도의 비용 차이인데 한 달에 카페에서 커피 한 잔 덜 드신다고 생각하고 결정하시는 건 어떨까요?

➕ 더 알아보기

[상담 시 "비싸요"의 의미]
① 자기 생각보다 비싸다.
② 자기 사정이 여의치 못해 돈이 없음을 숨기기 위한 의도이다.
③ 원래 다니던 병원과 비교해보니 비싸다.
④ 그러한 말을 통해 할인받을 수 있다고 생각하고 협상을 시도하는 것이다.
⑤ 제안된 내용의 가치가 그리 매력적으로 보이지 않는 것 같다는 생각이다.

---

5) 클로징 화법

(1) 클로징 타이밍을 놓치지 말아라

환자가 치료의 필요성을 느끼고, 우리 치과를 선택해야겠다는 생각을 하게끔 상황을 만든 후 그 타이밍에 그 환자에게 맞는 클로징 멘트를 전달한다.

환자가 아래와 같은 이야기를 했다면 좋은 클로징 타이밍이 될 수 있다.

"시술이 상당히 어려워 보이네요."

"의사의 많은 경험이 필요해 보이네요."

"원장님이 실력이 좋으신가 봐요."

"생각보다 간단한 게 아니네요."

"치료는 제대로 받는 게 중요한 것 같네요."

"관리를 제대로 받아야겠네요."

"저도 또 이렇게 될까봐 걱정돼요."

"이런 걸 예전부터 알려줬다면 좋았을텐데"

"전 신경치료가 이렇게 중요한 치료인지 몰랐어요."

(2) 침묵 화법

① 침묵도 스킬이고 화법이다. 처음부터 말을 하지 않는 게 아니라 클로징의 순간에 침묵하는 것은 환자도 49냐 51이냐 이렇게 고민을 하고 있음을 의미한

다. 우선은 침묵의 시간을 주어야 한다.

② 침묵의 시간을 깨고 환자가 먼저 제시를 한다면 가장 좋은 상황이지만, 그게
  안 된다면 조심스럽게 상담자가 대화를 이어나간다.
"○○○님이 말씀을 안 하시는 건 하고 싶은 마음이 있으신데 정말 결정해도 되는
지 마지막으로 고민이 되셔서 그러신 것 아닐까 하는데, (여기서 잠시 텀을 주도록
한다. 환자의 반응을 살피기 위함이다.) 하세요 ○○○님, 이 정도까지 고민이시라면
해보시는 게 맞지 않을까요? 고민하고 결정하신 것을 정말 잘했다는 생각이 들게
끔 해드릴게요."

(3) 치료 비동의 시, 상담을 이어나가는 방법
" 일단 생각 좀 해보고 올게요."
→ 치료를 비동의한 채로 돌아간 환자가 다시 재내원을 하는 경우는 극히 드물다.
마지막 기회라 생각하고 상담을 이어나가 보자.
  환자: 일단 생각 좀 해보고 올게요.
  상담자: 제가 이런 질문을 드리는 것은 너무 쑥스럽지만, ○○○님께서 도와주신
      다고 생각하고 한 가지 질문에 대답해주시면 감사하겠습니다.
  환자: (동의)
  상담자: 오늘 치료를 시작하지 않게 돼도 괜찮습니다. 다만, 저는 ○○○님께 저
      희 치과가 꼭 맞는다고 생각했습니다. 그래서 결정해 주셨으면 했지
      만, 그렇지 않으셨기에 사실 기분이 좋지 않습니다. ○○○님이 저희 치
      과에 대해 충분히 이해하실 만큼 설명하지 못한 것 같기 때문입니다.
      제가 어떤 부분의 설명이 조금 부족했는지, 어떤 부분 때문에 결정의
      어려움이 있었는지 이야기해주시면 정말 도움이 될 것 같습니다.

01 다음에서 설명하는 고객 세일즈 마무리 기법은?

> 이 상품이 마음에 드신다면 한번 사용해 보시는 게 어떤가요?
> 더 궁금한 것이 있으신가요?

① 2차적 마무리
② 권유형 마무리
③ 승인형 마무리
④ 지시형 마무리

정답 2

① 2차적 마무리: "말씀드린 부분이 잘 해결되었나요? 그럼 다음 단계는요?"
③ 승인형 마무리
  "고객님께서 이 제품을 구매하신다면 품격이 달라지실 거예요."
④ 지시형 마무리
  "향후 변경이나 의문 사항이 있으실 경우 전화/내방하시면 됩니다."

02 니즈 파악을 위한 전략적 질문 중, 고객의 불만을 개발하고 가장 효과적인 해결책을 제공할 수 있는 영역에 대한 불만을 강화하는데 유용한 질문은?

① 상황질문
② 문제질문
③ 시사질문
④ 해결질문

정답 3

시사질문은 고객 문제의 시사점이나 그것을 야기하는 결과를 탐색하는 질문이다.

03 세일즈 프로세스 3단계에 해당하는 것은?

① 잠재 고객 발굴하기
② 반론 극복하기
③ 니즈 파악하기
④ 상품 설명하기

정답 3

세일즈 프로세스
1) 잠재고객 발굴하기(Prospecting)
2) 고객에게 다가가기/신뢰감 형성(Approaching)
3) 니즈 파악(Needs grasp)
4) 상품 설명하기(Presentation)
5) 반론 극복하기(Persuasion)
6) 상담 마무리하기(Closing)
7) 고객과의 관계유지(Follow-up)

04 상담 프로세스에서 반론 극본 단계에 대한 내용 중 옳지 <u>않은</u> 것은?

① 반록은 근본적으로 거절을 의미한다.
② 고객의 의문 사항 중 모르는 것은 모른다고 솔직하게 이야기한다.
③ 불신에 대한 대처는 객관적인 자료를 활용한다.
④ 반론에 바로 응대하는 것이 아니라 고객의 감정을 중화하는 것이 우선이다.

정답 1

반론은 근본적으로 거절이 아니라 반대의견을 제시한 고객의 심리상태이며 거절과는 다르기 때문에 합리적이고 적절한 대응에 의해 설득될 수 있다.

05 세일즈 화법에 대한 설명 중 옳지 <u>않은</u> 것은?

① 세일즈 언어에는 고객이 납득할만한 가치가 담겨 있어야 한다.

② 부정 질문보다는 긍정 질문을 활용한다.

③ 상대가 원하는 기대가 무엇인지 깊이 있게 말하도록 만드는 질문은 확대 질문이다.

④ 세일즈 언어는 선별해서 사용할 필요는 없다.

정답 **4**

고객은 말하는 대로 받아들이기 때문에 세일즈 언어는 선별해서 사용해야 한다.

환자 상담의
이해와 적용

Dental Management Officer

환자 상담의 이해와 적용

Dental Management Officer

07

1. 상담에 대한 이해

1) 상담의 정의

궁금증이나 문제를 해결하기 위하여 서로 의논하는 것이다.

2) 상담의 기본 원리

(1) 개인차를 인정한다.

대부분 상담의 실패는 상담자의 주관적 판단에서 비롯된다.

상담 시에는 고정관념을 버리고 피상담자의 입장에서 문제를 해결하려고 해야
한다.

(2) 우호적인 분위기를 만든다.

피상담자는 잘 모르는 상담자에게 자신의 약점인 건강상의 문제를 자세하게 설
명하는 데 부담을 느끼기 때문에 최대한 온화하고 부드러운 분위기를 연출하도록
해야 한다.

(3) 상담자는 피상담자의 정서에 관여한다.

상담자는 이야기를 하면서 감정이 고조될 수도 있고 또 스스로 화를 낼 수도 있
다. 이와 같은 피상담자의 정서의 변화에 민감하게 반응할 때 상담에 성공할 가능
성이 높아진다.

(4) 모든 것을 수용하는 자세를 가져야 한다.

상담자는 피상담자를 따뜻하게 대하여 경계심을 풀게 해야 한다. 일관되게 인격
을 존중해주고 상대방이 내 편이 되어 이해해준다는 느낌을 갖도록 상담 태도를 유
지해야 한다.

(5) 상담자는 되도록 중립적인 자세를 유지한다.

가치판단을 내리는 것은 피상담자를 회피적으로 만들기 때문에 '그것은 좋다.' 또는 '나쁘다.'와 같은 가치판단을 자제해야 한다.

(6) 피상담자가 자기 결정을 내릴 수 있는 기회를 주어야 한다.

특히 성인의 경우 상담자의 권유에 의해 결정을 내린다는 것을 부끄럽게 생각하거나 결정 후에도 취소할 가능성이 있기 때문에 최종 결정은 피상담자가 내리도록 한다.

(7) 절대로 비밀이 보장되어야 한다.

비밀유지는 모든 상담의 기본이다. 비밀유지가 깨지면 상담자와 피상담자 사이에 신뢰가 깨지는 것은 물론이고 소송으로 이어질 수도 있다.

2. 환자 상담

병원에서 환자와 그의 상태 및 진료 계획을 가지고 대화하는 모든 과정을 말한다.
환자 본인의 상태 및 조건을 충분히 이해하여 그에 알맞은 단기적 진료 계획 및 계속적인 관리계획을 수립하는 것이다.

1) 치과에서 이루어지는 상담
(1) 진단 전 상담
① 신규환자 내원 시 진단 전 상담을 한다.
② 환자와의 친밀감을 형성하는 스몰 토크를 한다.
③ 담당 의사에게 환자의 진료에 필요한 정보를 전달한다.

(2) 치료 결정을 위한 상담
치과상담프로세스에 따른 상담을 진행하여 치료 진행을 결정한다.
① 환자와의 관계성 형성/환자정 보 파악(내원 경로 파악)
② 환자의 니즈 파악&증폭
③ 치료 거절 요인 파악 및 거절 요인 차단하기

④ 현 상황에 대한 인지-문제점-해결책(치료 방법에 대한 안내)

⑤ 치료비용 제시 및 클로징을 통한 선택

⑥ 관계성 재확립 및 소개 유도

(3) 진료 후 상담

진료 전후 DSLR 촬영을 하여 상담을 진행한다.

① 고객 스스로 느끼지 못하는 좋아진 점들을 알려준다.

② 소개를 자연스럽게 요청할 수 있다.

③ 고객의 불만을 내부에서 흡수한다.

④ 다음 내원 일자, 주의사항 등을 다시 한번 강조한다.

2) 환자 상담을 위한 상담자의 습관

(1) 치과는 물건을 판매하는 곳이 아니라 환자와의 교감을 통해 관계를 발전시키고 '신뢰'를 구축하는 곳이라는 생각을 가지도록 한다.

(2) 치과 상담은 우리 치과, 진료에 대한 나의 느낌을 고객에게 전이시키는 과정임을 명심한다(우리 병원 진료에 대한 확신이 밑바탕이 되어야 한다).

(3) 환자들은 이 치과가 진료를 얼마나 잘하는지보다 상담자가 얼마나 좋은 사람인지를 먼저 판단하므로 상담자로서 이미지 메이킹을 위한 노력을 게을리해서는 안된다.

(4) 환자와 눈높이를 같이 하며 전문용어를 피한다.

(5) 환자가 하고 싶은 말을 충분히 할 수 있도록 이야기를 들어준다.

(6) 시각화를 통해 치료의 니즈를 높여준다.

3) 환자 상담프로세스

해당 상담 프로세스는 앞장에서 다루었던 세일즈 프로세스를 기반으로 환자와의 상담/치과 치료라는 특이성을 감안하여 재정립된 상담프로세스이다.

(1) 환자와의 관계성 형성/환자 정보 파악(내원 경로 파악)

상담의 첫 시작으로 환자의 긴장감을 풀어주고 환자에 대한 정보 파악을 하는 과정이다. 이 과정을 통해 상담의 난이도와 방향성을 결정할 수 있다.

접수 시 작성한 문진표를 활용한다.

① 내원 경로

내원 경로에 대한 파악은 '우리 치과를 어떻게 알게 되었고, 어떤 이유로 오게 되었는지, 치과 선택의 중요한 요인이 무엇인지'를 파악할 수 있으므로 반드시 필요한 과정이다.

A. 소개, 소문

- 소개해주신 분에 대한 정보 파악이 우선시 되어야 한다.
- 어떤 이유로 소개받아 왔는지/우리 병원에 대해 어떤 이야기를 듣고 왔는지 파악한다.

B. 지나가다가, 가까워서, 간판

- 치과 근처에서 온 환자에게는 "동네 분이시군요. 잘해드리겠습니다."라고 하고, 먼 곳에서 온 환자에게는 "멀리서 오셨는데 신경 써서 해드리겠습니다.", "혹시 직장이 이 근처이신가요?" 등 잘 찾아왔음에 대한 관심과 칭찬의 표현을 한다.
- 소개로 오지 않았음을 알고 있음에도 "혹시 소개로 오셨어요?"라고 질문을 건네기도 한다. 이때 환자는 "아니요, 간판 보고 왔어요."라고 대답하면 "저희는 보통 소개 환자분들이 많아서 당연히 소개 환자분이신가 해서 여쭤봤습니다."라고 대답한다. 환자는 이러한 과정을 통해 '이 치과는 소개 환자가 많이 오나 보다.'라는 생각을 가지게 되고, 치료 동의율에도 좋은 영향을 끼칠 수 있다.

C. 인터넷

인터넷으로 내원 시 추가적인 질문으로 선택의 중요한 이유를 파악한다. 즉, 인터넷에서 본원의 어떤 내용들을 장점으로 느껴 내원했는지, 검색어가 어떤 내용인지 파악한다. 예: 진단 장비, 원장님 경력, 이벤트 여부 등

② Dental IQ

치과 치료에 대한 환자의 가치

단순한 치과 상식과 정보만을 의미하는 게 아니라 '치과 치료에서 느끼는 환자의 고유가치'를 의미한다. 환자가 치과 치료에 얼마나 가치를 두고 이러한 가치에 자신의 돈과 시간을 기꺼이 투자할 수 있는가가 치료의 동의이다.

③ 환자의 경향 파악 요소

A. 과거의 치과 경험

성공적인 상담을 위해 과거의 치과 경험 파악은 중요한 요소이다. 이전에 어떤 치료를 진행했으며, 다니던 치과가 있던 경우 이탈 요인을 파악하고, 우리는 그 부분을 보완하여 응대하는 것이 중요하다.

B. 환자의 치과 치료에 대한 가치관

치과를 방문한 경험이 없다 하더라도 주변에서 들은 이야기나 치과에 대한 생각과 선입견을 가질 수 있다.

예를 들어 "신경 치료는 아프다", "임플란트 하나 하는 데에는 비용이 대략 어느 정도 든다."와 같이 상식선에서 알고 있는 내용들이 해당되며 이를 파악하면 상담 시 도움이 된다.

(2) 환자의 니즈 파악&증폭

① 상담은 상담자가 일방적으로 전달하는 과정이 아닌, 환자의 니즈를 파악하고 해결해주는 과정이다. 니즈 없이 치과에 내원을 하는 환자는 없다.

- 치과를 선택하실 때 특별히 고려하시는 사항이 있다면 설명해주시겠습니까?
  (니즈 파악을 위한 포괄적인 질문)
- 가장 먼저 치료하고 싶은 곳은 어디인가요?(C.C or Total)
- 치료를 하지 않으면 안되는 치아는 어떤 치아 같으세요?(우선순위)
- 다양한 치료 방법이 있는데 어떤 방법을 가장 원하세요?(심미, 기능, 비용, 수명)

② 어떠한 치료방향을 생각했고 어느 범위에서 치료를 원하는지, 그리고 그 니즈를 증폭시켜주는 과정이 필요하다. 니즈 파악 시, 아래의 요소들에 관심을 가지고 접근하면 도움이 될 수 있다.

- 증상의 여부
- 환자가 원하는 치료의 방향성 및 그 치료 방법에 대한 인지 여부
- 이전의 치과 치료경험
- 필요시 니즈를 환기시키기도 한다.
  예를 들어 틀니를 생각하고 온 환자를 임플란트 쪽으로 니즈를 바꾸는 것을 의미한다.

예: 더 잘 씹을 수 있고 더 오래 쓸 수 있는 방법이 있다면 그 방법으로 고려해
보시는 건 어떠실까요?

(3) 치료 거절 요인 파악 및 거절 요인의 차단하기

① 환자가 치료 결정을 방해하거나, 망설이는 이유에 대해 파악한다.

보통 치과에서 치료의 저항 요인은 비용, 통증, 시간에 대한 저항이 대부분이다.

"혹시 어떤 이유 때문에 그동안 치과 치료를 미뤄 오셨나요?" 이 질문에 대해 환
자의 답변을 듣고 저항 요인에 대한 해결이 필요하다.

➕ 더 알아보기

[치료 저항 요인에 대한 응대]

환자: 시간이 없어서 못 왔어요.

상담자: 그러면 이제는 치과 치료를 받기에 시간적인 여유가 괜찮으신가요?

환자: 무서워서 못 왔어요.

상담자: 치료과정에 있어서 어떤 부분이 걱정되세요?(구체적인 저항 요인 파악을 통한 해결 필요)

환자: 비용이 없어서 못 왔어요.

상담자: 이제는 가장 필요한 치료들부터 비용에 맞춰서 시작하시는 건 어떠실까요?

---

(4) 현 상황에 대한 인지 – 문제점 – 해결책(치료 방법에 대한 안내)

① 시각자료(파노라마, DSLR)를 적극적으로 활용하여 현재 치아 상태를 보여주
   고 문제점을 환자 스스로 자각하도록 유도하는 과정이 필요하다.

② 현재 치아 상태에 대한 인지를 정확히 하지 않는다면, 치료 방법에 대해 이야
   기를 하더라도 환자는 치료에 동의하지 않는다.

③ 환자가 본인의 상태에 대해 심각성을 느꼈다면 질문을 건넨다.

   • 어떻게 해야 할까요?

   • 치료가 필요하다고 느껴지세요?

   • 이제 치료를 하시는 방향으로 하나씩 계획을 세워 진행하시는 건 어떨까요?

(5) 치료비용 제시 및 클로징을 통한 선택

① 상담 시 치료비용을 처음 제시하는 때는 이 단계이다.

초보 상담자의 경우 치료에 대한 필요성을 느끼지 못한 상태에서 비용 제시를 하는 경우들이 많다. 환자의 지불 여력에 맞추어 치료 계획을 정해주고 지불 시기와 방법에 대해 전달해준다.

② 치료의 필요성을 느낌에도 불구하고 치료를 망설인다면 클로징을 통해 재확신을 준다.

Close는 '마무리를 짓고 계약을 성사시키다.'라는 의미, 여기서 'C'는 확신을 뜻한다. 고객이 사지 않아 안타까운 마음이 들지 않으면, 즉 내가 세일즈 하는 상품에 대한 확신이 없다면 상담은 당연히 동의되지 않는다.

(6) 관계성 재확립 및 소개 유도

치료에 동의 된 후에는 잘 결정 했음에 대한 확신을 주고 앞으로 치료과정에 있어서 상담자를 믿고 의지할 수 있는 관계성을 형성한다. 이때 환자와 좋은 분위기 속에 치료가 동의된다면 소개를 유도하는 것 역시 좋은 방법이다. "믿고 맡겨 주셨으니 꼼꼼히 신경 써드리겠습니다. 치료를 받아보시고 만족하신다면 주변 분들에게도 꼭 소개 부탁드리겠습니다."

CHAPTER 1
CHAPTER 2
CHAPTER 3
CHAPTER 4
CHAPTER 5
CHAPTER 6
CHAPTER 7
CHAPTER 8
CHAPTER 9

✚ 더 알아보기

[고객 순환의 과정]

1. 내원 전 선택의 고민

처음 선택 시 신중하게 고민 후 선택, 특히 가족이나 주변 지인을 통해 먼저 정보를 얻는 경우가 많다. 이때 주변의 추천이 있을 경우 내원 동기에 많은 영향을 미친다.

2. 내원 후 치료 결정

내원 전 좋은 이미지를 가지고 온다 하더라도 내원 시 본인의 경험을 통한 느낌을 통해 치료를 결정한다.

3. 치료 진행

치료 전, 후에는 기대치의 차이가 발생하며 이 차이로 인해 만족/불만족이 발생한다.

4. 치료 종료 후 고객 순환의 결정

　1) 마음에 들지 않는 경우 치과를 바꾼다.

　본인의 기대에 못 미치는 서비스, 서비스 회복이 되지 않으면 타원으로 이탈할 수 있다.

　2) 재내원, 가족 소개

　본인의 기대치나, 기대치 이상의 서비스를 받거나 좋은 느낌을 받았다면 정기검진 시기 등에 재내원, 또는 가족을 데리고 오기도 한다.

　3) 재내원과 소개의 반복을 통해 충성고객

　충성 고객은 본인의 재내원은 물론 다른 사람에게도 좋은 입소문을 내는 고객이다.

3. 치료과목별 상담

1) 치경부마모증

(1) 치경부 마모증이란

치아와 잇몸 사이를 치경부라고 한다. 이 치경부가 마치 도끼로 나무 팬 듯 파이는 현상이다. 한두 개 치아에서만 나타날 수도 있고 전체 치아에서 나타날 수도 있으며 치아의 뺨 쪽에서 주로 나타나는데 간혹 입천장이나 혀 쪽에서 나타날 수도 있다. 이러한 경우 치아가 시리고 불편할 수 있으며 증상이 없는 경우도 있다.

(2) 치경부 마모증의 원인

① 좌우로 세게 문지르는 칫솔질 습관

② 잇몸 질환 및 노화로 인한 뿌리 노출

③ 이갈이, 이 악물기와 같은 습관

④ 질기고 단단한 음식 섭취

⑤ 과도한 교합력

(3) 치경부 마모증 방치 시 문제점

① 치아가 깎여, 신경 노출&시린 증상

② 치아가 부러질 수 있음

④ 세균이 고이는 웅덩이 역할로, 잇몸질환 유발

⑤ 플라그가 쌓여 충치 유발

(4) 치료 방법

① 글래스아이오노머(보험이 되는 재료)

- 치아 색과 차이가 남
- 수분에 취약하여, 빨리 닳아 없어짐
- 탈락 가능성이 높음(일주일 이내에도 탈락될 수 있음)
- 보증기간 없어 탈락 시 재비용 발생

② 레진치료(비보험)

치아 색과 동일하며 잇몸 경계 부위까지 정확하게 재현이 가능하고 보험이 되는 재료에 비해 탈락 가능성이 적다.

(5) 상담 Key

① 치경부라는 부위의 특성을 활용한다(치아에도 영향을 주고 잇몸 건강에도 영향을 줄 수 있다는 것).

② 충치도 없고, 잇몸이 안 좋은 치아가 아닌데 멀쩡한 치아가 닳아 없어진다. 또는 그러한 환경이 만들어져 충치와 잇몸질환을 유발한다는 것을 이야기한다.

③ 치료의 필요성이 느껴지는(검은색으로 변한) 충치가 있는 사진과 비교하여, 이와 비슷하게 치아가 이미 상아질까지 없어졌음에 대해 이야기하여 치료의

니즈를 높인다.
④ 치경부 마모 이외에는 치아에 다른 문제가 없는 경우, 관리를 잘하시는 분들이
고 치아의 중요성을 잘 느끼기 때문에 장기적으로 건강한 치아를 오랫동안 사
용하기 위해 치료 결정을 한다는 다른 사람들의 예시를 들어준다.
⑤ 개수가 많은 경우 처음부터 여러 개 개수를 이야기하지 말고, 가장 심한 부위
에 대한 치료 니즈부터 확인한 후 순차적으로 개수를 늘린다.
⑥ 보험이 되는 재료와의 차이점은 시각화 자료를 활용하고 보험이 되는 재료가
2-3번만 탈락되어도 비용 차이는 크지 않으면서 재료를 다시 떼우는 과정에
서 미세하지만 치아에 손상을 준다는 것을 이야기한다.

2) 충치치료
(1) 심하지 않은 충치(C1 caries)
① 증상 및 진단
- 법랑질 국환된 우식
- 대체로 통증 등의 증상은 없다.
- 레진 충전 또는 경과 관찰한다.
- 정지된 우식이거나 앞으로 정지우식이 될 수 있는 경우 치료하지 않고 관찰한다.
- 정지우식이 아닌 경우 레진 충전한다.
- 육안, 탐침, X-ray에 의한 진단은 오진의 가능성이 크므로 정지우식의 판단은 신중해야 한다.

② 치료 방법
A. 레진이란?
복합 레진은 플라스틱 재료로 치아 색과 비슷해 심미성이 우수하고 추후 충
전물과 치질 사이 틈새가 아말감 충전에 비해 적어 2차 충치가 잘 생기지
않는다. 치아와 접착시켜 사용하므로 치아 삭제량이 적어 치질을 보호할
수 있다.

③ 상담 Key
- 증상이 당연히 없을 수 있다라는 부분에 대해 이야기한다.
- 한번 생긴 충치는 절대 자연적으로 치료되지 않으며, 대개 충치가 더 악화 될

수 있다.

- 충치의 범위는 작더라도 충치가 생긴 틈으로 단단한 음식이 낄 경우 쐐기 현상으로 인해 건강한 치아가 쪼개지는 경우들도 있음에 대해 이야기 한다.
- 남아있는 자연치아의 양이 적을수록 앞으로 치아의 수명에도 좋지 않은 영향을 줄 수 있다.
- "그냥 간단히…"라는 식으로 중요하지 않고 어렵지 않은 치료라는 표현을 쓰지 않는다. 환자에게는 비용을 들여서 하는 치료이고 중요한 치료이며, 기공 과정 없이 원장님의 진료 능력치만으로 치아를 재현하는 과정이므로 술자의 진료 능력치가 중요함에 대해 이야기한다.
- 시각적인 자료를 활용한다.

(2) 중간 정도의 충치(C2 caries)

① 증상 및 진단

- 상아질까지 침범한 광범위한 우식. 상아질은 법랑질보다 우식에 쉽게 파괴되므로, 겉보기에는 작은 충치가 실제로 안에서는 큰 경우가 많다. 법랑질에선 ↓, 상아질 ↑
- 시큰하거나 아픈 증상이 있을 수 있으나 천천히 진행되는 경우 이차상아질이 형성되어 증상이 없을 수 있다.
- 치아 삭제량이 많은 경우 충분한 강도와 해부학적 구조의 정확한 재현을 위해 간접수복(인레이)하는 것이 좋다.
- 치아 삭제량이 많은 경우 onlay 또는 crown을 고려한다.
- 우식 제거 중에 치수 노출이 발생할 수 있으며, 그런 경우 당일로 신경치료를 시작해야 한다.
- 치수에 근접한 경우 수복 후에도 술후민감증이 생길 수 있으므로, 치수 보호를 위한 이장이 필요하며, 그럼에도 불구하고 술후민감증이 생기면 신경치료가 필요할 수 있다.

② 치료 방법

A. 인레이 치료란?

충치 부위를 제거한 후 본을 떠서 금이나 레진 또는 세라믹 등을 이용하여 치아와 같은 모양으로 제작하여 치과용 시멘트로 접착하는 치료이다.

B. 인레이 종류

• 레진 인레이

심미성이 비교적 우수하며, 인레이 종류 중에서는 가격이 저렴하다. 접착력이 높아 수복 시 치료를 위한 치아삭제량이 적다.

강도가 약하고 변색 가능성이 높다.

• 세라믹 인레이

심미적인 면에서 가장 우수하고, 열전도율이 높지 않아 온도에 민감하지 않다. 보철물 자체의 강도는 그렇게 강하지 않지만 치아에 접착시키면 강도가 아주 강해져서 넓은 범위에도 사용이 가능하다(예: 타일과 비슷한 원리! 타일도 바닥이나 벽에 붙이기 전에는 약한 충격에도 깨지지만 붙이고 나면 쉽게 깨지지 않는다).

일정한 강도를 갖추기 위해서는 충분한 두께가 되어야 하므로 골드에 비해 치아 삭제량이 많다.

• 골드 인레이

전성과 연성이 뛰어난 금의 특성으로 인해 치아에 잘 적합하며, 이러한 정밀성으로 인해 이차 충치 가능성이 낮다. 치아와 물리적 성질이 비슷하여 이물감이 적다. 온도에 민감하여 시린 증상이 유발될 수 있고 심미성이 떨어진다.

너무 작은 부위에 사용할 경우 탈락 가능성이 높고, 반대로 너무 넓은 부위에 사용할 경우 치아 파절이 생길 수 있다.

③ 상담 Key

• 인접면 충치의 경우 특히 치료 니즈가 낮으므로 반드시 시각화자료를 활용한다.

• 치아를 죽이는 신경치료를 하지 않는 마지막 치료 방법이고, 얼마만큼 자연치아를 보존하는지가 중요하다 라는 부분에 대해 이야기한다.

• 레진치료와 인레이 치료의 차이점을 이해하고 환자가 인레이 치료를 납득 할 수 있어야 한다.

▶ 인접면 충치

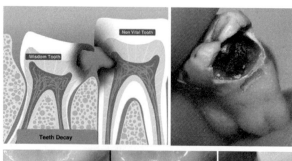

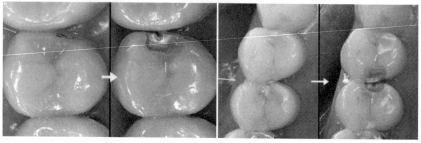

- 레진으로 할 수는 있지만, 모양상으로만 때워져 있을 뿐 치아의 기능을 제대로 할 수 없으며 범위가 넓은 부위의 레진 치료 후 치아가 쪼개질 수도 있음에 대해 이야기 한다.
- 환자는 눈에 보이는 충치가 없어지고 때워진 것을 치료라 생각하지만, 저희는 치료비를 받으며 단순히 지금 당장 치료가 되는 것 뿐만 아니라 장기적으로 이 치아에 가장 좋은 방법으로 해드리고자 한다. 또한 이 부분에 대해 보증기간을 가진다. 문제점이 생길 가능성을 알면서 괜찮다고 치료를 권할 수는 없다.
- 예시를 들어 납득시킨다.

책받침 등의 물건을 들어 휘어지게 한 후, "물건이 작을 때는 단단하지만 조금만 넓어져도 이렇게 휘어집니다. 책받침을 잘라낸 작은 토막은 단단하죠? 하지만 책받침 전체는 크기가 있기에 휘어집니다. 레진은 강화 플라스틱이라서 작은 치료 부위에는 단단하게 잘 고정이 되지만 큰 치료 부위에는 뒤틀립니다. 그래서 충치 중기 환자는 반드시 단단하게 고정이 되는 인레이를 해야 합니다."

(3) 심한 충치(C3 caries)

① 진단 및 증상

- 치수까지 침범한 우식
- 대체로 심한 통증이 있으나, 천천히 진행한 경우 증상이 없을 수도 있다.
- 신경치료 후 크라운수복이 필요하다.

② 치료 방법

A. 신경치료란?

▶ 신경치료 제대로 알기

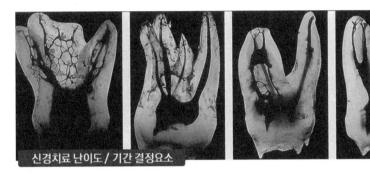

신경치료 난이도 / 기간 결정요소

- 치아의 해부학적 구조   - 신경관의 개수   - 신경관 내부의 감염상태
- 뿌리 끝 염증의 존재유무   - 치아의 충치 정도와 파절 가능성

신경치료의 성공률은 80-90% 정도
치료 후 계속된 통증이 느껴지는 경우에는 신경관내부에 눈으로 확인되지 않는, 치료되지 않은 신경이 남아있을 가능성이 높고, 이 부위는 현재 의학적인 방법으로 치료될 수가 없는 부분입니다. 재선경치료/치근단수술이 필요할 수 있습니다.

신경 치료라 부르는 치과 처치는 엄밀히 말해 신경을 치료하는 것이 아니다. 인체에서 가장 단단한 조직인 치아는 겉모습과 달리 그 내부에 치수라고 부르는, 신경과 혈관이 풍부한 연조직이 있다. 치수는 이뿌리, 즉 치근의 끝까지 뻗어 있으며, 뿌리 끝의 좁은 구멍(치근단공)을 통해 치근을 둘러싸고 있는 잇몸뼈(치조골) 속 치주인대의 혈관과 신경에 연결되어 있다. 충치나 어떤 자극에 이가 아프다고 느끼는 것이 바로 자극으로부터 치아를 보호하도록 치수의 신경이 반응하여 나타내는 증상이다.

심한 우식증으로 치수까지 감염이 되거나 치아의 파절 등 외상으로 치수가 노출되면 세균에 감염되고, 염증으로 이어진다. 이런 경우에는 심한 통증이 생기고, 치수는 회복이 불가능한 상태가 된다.

신경치료는 치아를 빼지 않고 치아 내부의 연조직인 치수만 제거하여 통증이나 기타 증상을 없애고, 치아가 제자리에서 기능을 할 수 있도록 보존한다. 치아의 치수조직을 제거, 소독, 치근관의 모양을 다듬고 재감염을 막기 위해 다른 대체 재료로 채워넣는 과정이다.

B. 크라운 종류

• 골드 크라운(Gold Crown)

안전하고 생체 친화적인 금속이다. 알레르기 반응도 거의 없고 잇몸에 유해 작용이 가장 적으며 치아와 강도가 유사해 오래전부터 사용되어왔다. 그러나 온도 전달이 빨라 치료 직후(신경치료 하지 않은 경우)에 어느 정도 치아가 온도에 민감해질 수 있다. 정상적인 경우에는 시간이 지나면서 자연스럽게 회복된다. 치아 삭제량을 최소화하여 제작이 가능하다.

치아와 색이 확연이 달라 심미성이 좋지 않다.

시간이 지나면 마모되어 크라운에 구멍이 뚫리는 경우도 있다.

• PFM 크라운(Porcelain Fused Metal Crown)

메탈에 의해 강도를 얻고 도재에 의해 심미성을 얻는다. 강도가 약해 파절 위험이 높으며 투명도가 떨어져 앞니 치료 시 부자연 스러울 수 있다. 시간이 흐르면 잇몸 경계 부분이 검게 변색된다. 치아 삭제량이 가장 많다.

• 올세라믹 크라운(All-ceramic Crown)

투명도가 좋고 자연치의 기능을 자연스럽게 회복할 수 있다. 지르코니아가 나오면서 취약점인 강도 문제로 최근에는 거의 사용하지 않는다.

• 지르코니아 크라운(Zirconia Crown)

겉과 속이 모두 세라믹 재질의 재료이며 알레르기가 없다. 우수한 강도와 내구성을 가지고 있으며 자연치아와 유사한 투명도와 색을 낼 수 있어 심미성이 우수하다. 변색 · 착색이 되지 않으며 강도와 내구성이 우수하다. 골드보다는 삭제량이 많지만, PFM보다는 삭제량이 적다. 치태관리에 유리하여 구강위생 관리에 좋다.

③ 상담 Key

A. 치아를 뽑지 않고 하는 마지막 치료 방법이며, 그렇기 때문에 중요한 과정이라는 것을 강조한다(신경치료 이후에 재신경치료 등의 방법이 있으나 시도가 어려울 수도 있으며, 성공률이 낮고, 신경치료 이후에는 치아를 뽑는 방법 밖에 없기 때문에).

B. 신경치료가 가진 한계성에 대해 전달해야 하며, 남아있는 치아의 양과 치수 감염 정도에 따른 예후에 대해 반드시 예방적커뮤니케이션이 필요하다.

C. 신경치료를 한 치아는 감각을 느낄 수 없으므로 정기적인 검진과 구강위생 관리가 중요함에 대해 전달한다.

(4) 매우 심한 충치(C4 caries)

① 진단 및 증상

- 방치된 치아우식으로 인해 치근단염증까지 발생한 경우
- 이미 치수가 괴사되어 증상이 없을 수 있다. 치수가 부분괴사한 경우 통증이 있게 된다.
- 치근단염증은 신경치료에 의해 치료가 가능하나, 염증의 크기가 큰 경우 발치해야 하는 수도 있다.

(5) 충치치료 관련 Q&A

① 치료 전 증상에 대해

Q : 아프지 않은데도 충치가 있을 수 있나요?

　* "충치가 심하지 않은 경우 통증이 없을 수 있다."라는 표현은 사용하지 않도록 주의한다. "심하지 않다."라는 상담자의 이야기를 들으면 환자는 치료를 미뤄야 겠다는 생각이 들고 치료의 필요성을 못느끼게 되기 때문이다.

A : 충치가 생겼을 때 나타나는 증상 중의 하나가 통증입니다. (아주 심한 충치 사진을 함께 보여준다) 이런 경우에도 통증이 없는 경우들도 있어요. 충치의 진행 정도나 속도, 그리고 환자분마다 느끼는 정도가 다르기 때문에 같은 충치라 하더라도 증상의 정도에 차이가 있을 수 있습니다.

　* 이런 환자는 '아프지 않아도 충치는 치료가 필요하다.'라는 것이 납득이 되어야 충치치료에 대한

결정도 할 수 있다.
* 위의 설명에도 치료의 니즈를 많이 못느끼는 경우, 일반적인 예시를 들어주어도 된다.

극단적인 예시이긴 하지만, 암도 초기에는 증상이 없는 경우가 있습니다. 그러나 증상이 없다고 해서 치료가 필요없는 것은 아니에요. 오히려 발견했을 때 빨리 치료를 하는 것이 좋습니다. 치과치료가 생명에 지장을 주는 문제는 아니지만 치아를 살리느냐 살리수 없느냐를 봤을 때, 비슷한 상황이라고 생각하시면 됩니다.

Q : 매우 심한 충치라고 하는데, 그동안 별로 안 아팠어요. 왜죠?
* "아프지 않은데도 충치가 있을 수 있나요?"의 내용도 함께 참고
A : 충치가 천천히 진행되는 경우에는 치아의 신경 부위에서 미리 방어벽을 쌓기 때문에 신경이 자극을 받지 않아 아프지 않을 수 있습니다.

Q : 색깔이 갈색인 건 충치 때문인 건가요?
A : 갈색이라고 해서 다 충치는 아닙니다. 단순히 착색된 것일 수도 있고, 예전에 충치가 생겼다가 정지된 경우에도 갈색으로 남아있게 됩니다. 그러나 갈색인 부위는 많은 경우에 치료가 필요한 충치일 수 있으므로 정확한 진단을 통해서 치료방법이나, 유지관리 방법에 대해 알려드리도록 하겠습니다.

Q : 양치질을 열심히 했는데도 충치가 생기는 건 이유가 뭐죠?
* "양치도 열심히 해주셨는데 충치가 생겨서 많이 속상하시죠." 등의 공감의 표현을 활용한다.
* 환자의 구강 내 상태를 직접 확인하지 않고 짐작하여 이야기하지 않도록 주의한다.
A : 충치가 생기는 데는 여러 가지 원인이 작용합니다. 입안에 충치균이 적어야 하고, 단것도 적게 섭취하시고 구강 관리도 꼼꼼히 해주시는 게 중요합니다. 기존의 충치를 치료해서 입 안의 충치균의 소굴은 없애주시고, 단 음식은 줄여주시면 좋아요. 칫솔질도 잘해오시고 중요성도 알고 계시니, 추가적으로 알려드릴 관리방법 부분은 없는지 체크해서 전달 드리도록 하겠습니다. 관리를 잘함에도 충치가 잘 생기시는 분들이 있기 때문에 환자분에 맞는 정기검진 일정과 관리방법으로 같이 도와드리도록 할게요!
* 양치가 잘되는지 확인 시에도 환자를 무안하게 하는 표현보다는 아래와 같은 표현을 활용하도록 한다.
  "보통 이쪽이 치태가 잘 생기는 부위입니다."

커뮤니케이션이론

CHAPTER 1
CHAPTER 2
CHAPTER 3
CHAPTER 4
CHAPTER 5
CHAPTER 6
CHAPTER 7
CHAPTER 8
CHAPTER 9

"다른 분들도 이쪽 부분을 꼼꼼히 닦는 것에 많이 힘들어 하십니다."
"칫솔질을 정말 신경써서 하는 저도 이 부분 관리는 어렵더라고요."

② 치료 필요성에 대해

Q : 아프지 않은데도 치료를 해야 하는 건가요?

A : (위에 내용도 참고) 증상만 없을 뿐이지 문제가 없는 상황은 아닙니다. 치료를 하지 않은 채 계속 두면 충치는 점점 깊어지고 남아있는 내 치아의 양은 줄어들 수밖에 없어요. 충치가 안 생겼다면 가장 좋겠지만 이미 생긴 상태라면 가능한 내 치아를 최대한 살리는 방법으로 치료를 고려하시는 게 좋습니다. 충치치료를 했다 하더라도, 남아있는 치아의 양에 따라 치아의 수명은 달라질 수 있습니다.

* 충치가 생긴 해당 치아의 구강 내 사진에서 전체 치아 범위 중 남아있는 치아의 범위와 충치가 생긴 범위를 그려가며 설명해주도록 한다.
* 비슷한 케이스 환자의 치료 전·중·후 사진을 함께 보여줘도 된다.
* 비용이 더 들 수 있음, 치료시기를 놓칠 수도 있음, 치아 안쪽까지 진행되면 진행속도가 더 빨라질 수 있음에 대한 부분들도 함께 이야기 해줘도 된다.

Q : 충치가 있으면 당장 치료를 하나요?

A : 정지되어 있는 충치이거나, 지켜보면서 확인이 필요한 충치라면 시간을 두고 체크를 하지만 이미 진행되어 있는 충치라면 되도록 빨리 치료하시는 것을 추천드립니다. 충치의 진행속도를 가늠할 수 없고 치료를 계획하고 있으시다면 굳이 치료 시기를 미루어서 현재 건강하게 쓸 수 있는 치아 부분까지 잃는 건 장기적으로 내 치아에 좋지 않기 때문에 보통 치료를 결정하시더라고요.

Q : 충치를 그냥 두면 어떻게 되나요?

A : 충치는 제거하지 않는 이상 계속해서 진행됩니다. 충치가 크지 않은 상태에서 치료할수록 치료범위를 최소화하여 자연치를 적게 건드리는 보존적인 치료가 가능하고요, 치료비도 그만큼 적게 듭니다. 자연치를 적게 건드릴수록 치아 자체의 수명도 길어지지요. 충치가 커진 후에 치료받으시면 치아의 수명도 그만큼 짧아지고요. 신경치료나 치아를 뽑게 되는 경우들도 생길 수 있습니다.

③ 치료 중 또는 치료 후 일어날 수 있는 일에 대해

Q : 오늘 치료하면 오늘 당장 안 아파지나요?

A : 통증의 원인이 충치였다면, 충치가 제거된 후에는 아프지 않게 됩니다. 그러나 충치 외의 다른 원인이 또 있는 경우에는 계속 아플 수 있고, 충치가 깊어서 치아신경 부위 가까이 간 경우라면 충치제거 후에도 치아는 한동안 아프거나 시릴 수 있습니다. 충치가 매우 깊은 경우에는 충치제거 후 오랜 기간이 지나도 여전히 치아가 아프거나 시릴 수 있는데, 이런 경우 신경치료가 필요할 수 있습니다.

Q : 충치를 제거한 곳에 왜 갈색 부위가 남아있죠?

A : 갈색이라고 해서 다 충치는 아닙니다. 치아가 충치로 인한 신경자극을 막기 위해 치아 내부에 쌓는 방어벽이 있는데, 그 방어벽의 색깔도 갈색이고요, 충치가 진행하다가 정지된 경우 예전보다 더 건강하고 단단해지는데, 이때도 색깔은 여전히 갈색입니다.

Q : 원래 안 아프고 안 시렸는데 왜 치료하고 나니까 아프고 시리죠?

A : 충치는 반드시 치료해야 하지만 아픈 것은 아닙니다. 치료 전에 안 아플 수 있어요. 그러나 충치를 제거하고 나면 치아 내부의 신경 부위는 바깥세상과 더 가까워지므로 차갑고 뜨거운 것을 더 민감하게 느끼게 됩니다. 그러므로 없던 증상이 생길 수 있는 것이지요. 그래서 괜찮던 치아가 치료 후에 오히려 안 괜찮아진 것 같이 느낄 수 있습니다. 대개의 경우, 증상은 점차 가라앉을 것이므로 걱정하지 마시고 차갑고 뜨거운 자극을 피해 주세요. 치아가 쉬면서 내부에 방어벽을 쌓을 시간을 주어야 해요. 만약 기다려도 증상이 가라앉지 않는다면 최후에는 신경치료를 고려해야 할 수 있습니다. 이는 충치가 너무 깊어서 그로 인해 치아의 신경 부위를 보호할 치아벽이 너무 얇아졌기 때문입니다.

Q : 치료 중에 충치가 깊다는 얘기를 못 들었는데, 치료 후에 계속 시리고 불편하네요.

A : 충치가 깊지 않았던 경우에도 간혹 치료 후 시린 증상이 생길 수 있습니다. 여러 가지 이유가 있을 수 있겠지만, 치료 행위 자체가 치아 내부 신경 부위에

184 치과경영관리사 **커뮤니케이션이론**

는 큰 자극이라는 것이 중요한 이유가 될 수 있습니다. 충치를 제거하는 과정은 마취 주사를 맞지 않고는 견디기 힘든 매우 자극적인 과정입니다. 마취를 해서 우리 두뇌는 그 자극을 느끼지 않게 되지만 치아 내부는 여전히 그 자극을 그대로 받게 됩니다. 그러므로, 치료가 끝나고 마취가 풀리고 나면 그제서야 치아 내부가 치료로 인해 힘들어하는 것을 두뇌가 느끼게 되는데, 그것이 시리거나 하는 증상이라고 할 수 있습니다. 치아 내부 신경조직이 그런 자극을 견뎌낼 만큼 충분히 건강했다면 큰 문제 없이 회복되겠지만 간혹 건강하지 못했을 경우 회복되지 못하고 계속 시린 증상이 남아있거나 더 심해질 수 있습니다. 이런 경우에는 어쩔 수 없이 신경치료가 필요하게 됩니다.

Q : 원래 있던 충치보다 파낸 부위가 훨씬 더 커 보여요.
A : 충치는 세균에 의한 감염입니다. 충치에 의해 눈으로 뚜렷이 구별될 정도로 파괴된 치아조직은 매우 심하게 감염된 것이고, 약하게 감염된 부위는 눈으로 쉽게 구별되지 않습니다. 그래서 충치를 다 제거하고 나면 제거하기 전의 충치보다 훨씬 더 많이 제거한 것처럼 보이게 됩니다.

Q : 충치 치료한 치아에 충치가 또 생길 수 있나요?
A : 충분히 그럴 수 있습니다. 치아를 완전히 빼버리지 않는 한 모든 치아는 항상 충치가 생길 위험이 있습니다. 특히 충치 치료를 받았던 치아는 원래 치아 부위와 금 등으로 때운 부위 사이의 경계면에서 충치가 다시 생기기가 쉽습니다. 그러므로 항상 철저한 칫솔질을 통해 치태가 없도록 해 주셔야 하고, 정기적으로 검진을 받으셔서 다시 충치가 생기지 않았는지 체크를 받도록 하셔야 합니다.

3) 임플란트 상담
(1) 상담을 위한 임상 이론
① 임플란트(Implant)
자연치 상실로 인하여 기능을 할 수 없는 부위에 인공치근(Fixture)를 식립하여 기능을 회복시켜주는 치료방법이다.

A. 장점

- 심미적, 기능적 면에서 자연치와 거의 비슷하다.
- 만 65세 이상 분들에게는 의료 보험 혜택이 있다.

B. 단점

- 임플란트가 뼈에 단단히 고정되기 위한 기간이 필요하다.
- 환자의 뼈 상태에 따라 골 이식이 필요하다.
- 기본적으로 수술을 해야 하기에 두려움이 있다.

② 브릿지(Bridge)

영구치 상실 후 빠진 치아의 양쪽 치아를 삭제한 후에 인공 치아를 씌워서 연결하는 것을 말한다. 양쪽의 씌우는 치아 상태가 건강해야 할 수 있다. 전신질환 때문에 수술이 곤란한 경우, 치아를 빼고 오랜 시간이 지나 임플란트를 못하는 경우에 빠진 치아를 해결할 수 있는 방법이다.

또한 빠진 치아의 주변 치아가 많이 상했거나 치아가 삐뚤어져 있는 경우, 앞니가 빠진 상태에서 앞니 전체를 치아 성형해야 하는 경우에도 활용할 수 있는 방법이다.

A. 장점

- 본인의 치아의 모양, 색 등과 흡사하다.
- 치료기간이 빠르다.
- 발치 부분의 뼈 상태가 좋지 않아도 치료가 가능하다.

B. 단점

- 브릿지를 하기 위해 치료가 필요 없는 옆 치아를 삭제해야 한다.
- 시간이 경과하면서 잇몸 상태에 따라 가공치 부위 잇몸이 수축할 수 있다.
- 앞니 브릿지라면 심미적인 문제와 음식물이 끼는 문제가 생길 수 있다.
- 브릿지의 가운데 가공치 부위는 치아 뿌리가 없기 때문에 정상적인 자극이 잇몸뼈로 전달되지 않는다.
- 브릿지가 긴 경우에는 장기간 사용 시 음식을 씹는 압력에 의해 조금씩 틀어지는 현상이 생길 수 있어서 삭제한 양쪽 치아와 잇몸 사이에 틈이 커질 수 있고 치아가 상하기 쉽다.

③ 치조골 이식술

치주질환으로 골이 파괴되어 골 결손부가 존재할 경우 골을 삽입하여 치조골의 재생을 도모하는 술식. 사용되는 골에는 자가골, 동종골, 이종골, 합성골이 있다.

④ 상악동 거상술

위턱에서 중요한 구조물로 위턱뼈 위에 광대뼈 안쪽 빈 공간인 상악동이라는 구조가 있다. 이 상악동은 텅 비어 있으며 옆으로는 코와 연결되어 있고 아래로는 윗니 뿌리와 가깝다. 사람마다 상악동의 크기나 형태, 상태가 매우 다양한데 위턱에 임플란트를 심을 때 상악동이 중요한 영향을 미칠 수 있다.

윗니를 뺀 후에 위턱에서 상악동까지의 잇몸뼈 양이 적으면 뼈 이식을 해야 하는데, 이때 하는 뼈 이식술을 '상악동 거상술'이라고 한다. 상악동 안쪽은 '상악동막'이라는 얇은 막이 감싸고 있는데 마치 달걀의 단단한 껍데기를 까면 있는 얇은 막과 같다고 생각하면 된다. 이 상악동막을 찢지 않고 살짝 조심스럽게 들어 올려서 그 안에 뼈를 넣고 그 뼈 안에 임플란트를 심는 것이다.

여기에는 치아를 뺀 자리에서 수직으로 올라가는 '상악동 치조정 거상술'과 잇몸뼈의 볼 쪽에서 접근하는 '상악동 측방 거상술'이 있다.

(2) 임플란트 상담의 특징

① 이를 뽑지 않은 상태라면, 발치에 대한 니즈를 확실히 하는 것부터 시작한다.
② 환자는 어느정도 각오하고 있다(비용, 선택의 중요성).
③ 고통에 대한 두려움, 비용과 시간에 대한 부담감을 가진다.
④ 주변에서(지인, 인터넷 등) 들은 이야기들이 많다.
⑤ 큰 비용을 들여서 하는 치료이므로 진료 퀄리티나 서비스 등에 대한 기대치가 있다.
⑥ 타치과와 비교를 위한 쇼핑의 가능성이 높다.

(3) 임플란트 상담 프로세스

임플란트 문진표

새론치과는 내 치아를 상실하고 임플란트를 하게 되신 환자분들에게 조금이라도 더 만족스러운 임플란트를 하실 수 있도록 늘 고민하고 노력하는 치과입니다. 아래 사항을 상세히 기입해 주시면 임플란트 상담 시 많은 도움이 됩니다. 의문 사항이 있으시면 문의주시기 바랍니다.

본원에서 임플란트 경험이 없으신 분은 1~15 까지 모두 작성해주세요	
1. 임플란트를 해 본 경험이 있습니까?	☐ 예 (식립시기: 비용:) ☐ 아니오
2. 임플란트 상담을 받아 보신 경험이 있습니까?	☐ 예 ☐ 아니오
3. 임플란트 진단 시 CT를 통한 정확한 진단이 필요하다는 것을 알고 계십니까?	☐ 예 ☐ 아니오
4. 본인이 예상하는, 주변에서 이야기를 들었던 임플란트의 가격은 얼마 정도 입니까?	
5. 특별히 원하는 임플란트 종류가 있으십니까?	☐ 예 (종류:) ☐ 아니오
6. 와싼 임플란트에 대해 들어본 적 있거나 관심이 있으십니까?	☐ 예 ☐ 아니오
7. 임플란트 시 뼈 이식이 필요하다는 것을 알고 계십니까?	☐ 예 ☐ 아니오
8. 임플란트 보증기간에 대해 들어본 적 있으십니까?	☐ 예 ☐ 아니오
9. 임플란트 진행하기 위한 치과 선택 시 가장 중요한 부분은 무엇입니까? (예: 비용, 아프지 않은 것, 원장님 실력, 사후 관리 등)	

① 타 치과 임플란트 경험 여부, 우리 치과 치료 진행 여부부터 파악

A. 임플란트 경험 전혀 없는 분
- 환자가 생각하는 예상하는, 들어봤던 임플란트
- 환자가 임플란트 시 중요하다고 생각하는 부분
- 환자가 임플란트 시 걱정하는 부분
- 환자가 중요하다고 생각하지는 않았지만, 중요한 부분으로 바꿔주어야 할 부분

(이 과정을 통해 우리 병원에서 하고 싶다는 생각이 들도록)

B. 타 치과 임플란트를 해 본 경험 있는 분
- 타 치과 임플란트 관련하여 받았던 혜택
- 타 치과 임플란트 가격
- 타 치과 이탈 이유
- 타 치과에서 하셨던 분들이 우리 치과를 선택하는 이유

C. 우리 치과에서 다른 치료 진행해본 분
- 우리 치과 및 원장님에 대한 만족도
- 임플란트 가격의 인지 여부

D. 우리 치과에서 임플란트 진행해본 분
- 우리 치과 임플란트에 대한 만족도+생색
- 다른 데는 많이 싸졌다는데 여기는 왜 가격을 안 내리나?

② 생각하는 임플란트 비용과 우리 치과 임플란트 비용 간의 Gap 확인 및 해결

③ 뼈 이식
A. 뼈 이식에 대한 인지 여부
B. 뼈 이식이 필요한 이유
C. 뼈 이식 난이도 및 방법에 대해 전달
D. 금액에 대한 저항 해결

④ 임플란트 종류 결정

(4) 상담 스크립트 예시
① 이거 안 뽑으면 안 되나요?(bone loss가 심한 경우 증상을 못 느낌)
"환자분이 뽑지 않겠다고 하시는데 저희가 뽑을 순 없습니다. 하지만 어떤 문제
가 생길지 너무 잘 알기 때문에, 안 뽑아도 괜찮다고 말할 수는 없습니다."
→ 환자에게 먼저 아래와 같이 질문을 드린 후 대답한다.

A. 상담자: 당장은 아니더라도 나중에는 뽑고 임플란트 하실 계획이 있나요?

환자: 그렇습니다.

상담자: 지금 뽑지 않으면 뼈가 더 많이 소실된 상태에서 임플란트를 하셔야 합니다. 그렇게 되면 임플란트를 식립하지 못할 수도 있고, 비용을 들여서 하는 임플란트의 유지가 어려우며, 임플란트의 수명 역시 짧아질 수 밖에 없습니다.

B. 상담자: 당장은 아니더라도 나중에는 뽑고 임플란트 하실 계획이 있나요?

환자: 아니요, 없습니다.

상담자: 이 치아는 잃더라도 다른 남아있는 치아들은 건강하게, 오랫동안 유지하고 싶지 않으신가요?

환자: 그렇습니다.

상담자: 임플란트를 하지 않으신다면, 양옆치아 손상은 당연하고 맞닿는 치아도 제 역할을 못하기 때문에 수명이 줄어듭니다. 그러면 결국 그 쪽의 치아로 식사가 어려워지므로, 반대쪽은 필요 이상의 힘을 받게 됩니다. 겉으로 티가 나지 않을 뿐, 한 치아로 인해 나머지 스무개가 넘는 내 치아의 수명이 줄어드는 것이지요.(즉, 더 멀리 / 더 넓은 기준에서 뽑는 게 당연하다라는 것을 이야기하기).

② 임플란트하면 얼마나 쓸 수 있어요?

상담자: 어느 정도 사용하고 싶으세요?

환자: 당연히 평생 쓰고 싶습니다.

* 병원이 10년이상 된 치과라면, 또는 원장님의 진료 경력이 10년 가까이 되었다면 그 부분을 활용한다.

상담자: 10년정도 충분히 문제 없이 쓰시면 보통 내 치아처럼 쓰고 있다고들 하십니다. ○○님은 어떠세요?

환자: (동의)

상담자: 저희도 ○○님이 오래 쓰면 쓸수록 좋다. 그래야 주변 분들한테도 임플란트 잘쓴다고 저희치과 이야기도 많이 해주시고 하니까..(즉, 병원 입장에서도 환자가 임플란트를 오랫동안 사용하는 것이 더 좋다). 확실히 오랫동안 문제 없이 쓰시는 분들은 임플란트를 하신 부분과 자신의 치아에 관심의 정도, 그리고 관리하는 정도가 다르긴 합니다.

저희도 오랫동안 잘 쓰실 수 있도록 같이 도와드리겠습니다.

③ 임플란트 부작용이 많다던데
"어떤 부작용이 걱정이 되세요?"

A. 환자의 대답 듣기
   * 진료적으로 간단히 해결할 수 있는 부작용인 경우들도 많으므로, 이런 경우는 확인 후 답변 해
     준다(예: 환자의 입장에서는 수술 후 많이 붓는 것도 부작용이라고 느낄 수도 있다).

B. 임플란트 자체에 대한 의심(내 몸에 그런 게 들어가도 괜찮아?)인 경우
   • 임플란트 보험적용 되는 부분 활용
     "나라에서 전신질환을 많이 가지고 있는 65세 이상이신 분들에게도 적극
     권장하는 부분인데, 문제의 소지가 있는 걸 권장할 리는 없습니다."
   • "어떤 치료든, 수술이든 부작용이 0이라는 건 없습니다(예: 맹장수술을 해
     도 동의서에 '죽을 수도 있다'까지 기술하는 점). 다만 생길 수 있는 부작용이
     0.001%인데 반해 임플란트를 하지 않아서 생기는 문제점이 훨씬 더 크다면,
     부작용 때문에 안 하려고 하시는 분들은 거의 없으십니다."라고 설명하기

④ 뼈 이식 안 하면 안 돼요?

"나무도 심어놓은 위에만 보면 뿌리가 깊게 심어진 나무인지 아닌지 알 수 없습
니다. 안 하셔도 됩니다. 임플란트 못 심는 원장님은 없습니다.
다만, 저희 원장님은 임플란트는 기본적으로 내 치아보다 약하기 때문에 최소한
내 치아의 길이나 폭을 재현해주고, 그보다 더 신경 쓰고 관리해주어야 충분히 잘

사용할 수 있다고 생각합니다(원장님의 경력, 병원이 오래되었다면 그러한 임상 데이터 등을 예시로 활용한다).

지금 다니는 분들이 몇 년 이상 다닌 분들입니다. 그 때 당시 잘해 놓았어도 잇몸은 계속 나빠지는 게 당연하고, 어떻게 하면 더 오랫동안 잘 쓸 수 있을지를 고민할 수밖에 없습니다. 그만큼 해주어야 이 정도의 결과는 나온다는 걸 아는데 알면서 안 할 순 없습니다(본원 bone loss가 거의 없다면 실제 임상 케이스 추가로 활용).

저희는 기준대로 제대로 해주고 더 잘 쓰게 도와드리는 쪽을 택하지, 일단 되는 만큼만 심어 놓고 별 탈 없기를 불안해하는 쪽을 택하지는 않습니다.

안 해도 된다는 이야기를 들었는데도 불구하고, 저희 치과를 믿고 치료하신다면 원장님이 얼마나 부담감과 책임감을 가지고 치료하시겠습니까?"라며 설명드린다.

⑤ 뼈 이식 비용이 왜 달라요?

"임플란트할 때 뼈 이식에 대해서 혹시 들어본 적 있으신가요?"

→ 들어 본 적 있다면 비용이나, 뼈 이식이 중요하다 등과 같이 답변한다.

"임플란트는 내 치아를 대신해서 쓰기 위해 하는 것입니다. 그래서 얼마만큼 내 치아처럼 재현하는지와 내 치아만큼 오래 쓸 수 있는지가 중요해요.

내 치아처럼 해서 넣으려면 내 치아의 길이, 폭, 그리고 뼈의 질이 어떤지도 중요합니다. 임플란트는 내 치아처럼 해놔도 내 치아보다는 분명히 약한 부분이 많기 때문에 저희는 내 치아만큼은 재현해 놓고, 추가적으로 더 체크해주고 관리해주어야 한다고 생각합니다.

또한 이 뼈 비용에 이식해 놓은 뼈가 단단하게 붙는 것, 그리고 오랫동안 이 뼈가 유지될 수 있도록 하는 것이 모두 포함된다고 보시면 될 것 같습니다."

→ 여기서 납득하면 OK, 납득하지 않는다면 추가 설명이 필요하다!

"뼈 이식을 얼마만큼 할 지, 어떻게 하는지에 따라 만들어지는 뼈의 양도, 질도, 그리고 그 상태 그대로 유지되는지도 모두 달라요. 뼈 이식을 하면 비용을 더 내기 때문에 뼈 상태를 좋게 만든다고 생각하지만, 실제로는 좋게 만든 게 아니라 임플란트를 할 수 있는 최소한의 상태로 만드는 것이라고 생각하면 됩니다. 그렇기 때문에 원래부터 단단한 내 뼈보다는 취약하고 앞으로 신경 쓸 부분들 역시 많습니다."

CHAPTER 1
CHAPTER 2
CHAPTER 3
CHAPTER 4
CHAPTER 5
CHAPTER 6
CHAPTER 7
CHAPTER 8
CHAPTER 9

⑥ 다른 데는 임플란트 60-70만 원 하던데

우리 병원에서 하고 싶은데 비용을 좀 할인받고 싶어서 하는 이야기인지, 정말 60-70만 원 임플란트를 할 생각인지를 아는 게 중요하다.

환자가 저런 이야기를 꺼내는 이유와 환자의 생각을 정확히 알 수 있도록 환자가 말할 수 있는 상황을 계속 만들어주어야 한다. 상담하며 마인드맵 하듯이 가지를 자꾸 쳐나가고, 환자의 생각을 확실히 알아내고 조금씩 생각을 바꿔주는 과정이다.

60-70만원 임플란트는 좋지 않다라는 식의 이야기를 한다면 환자는 더 이상 이야기를 꺼내지 않는다.

"요즘 그런 곳들 많다고 하더라고요. 60-70만원 임플란트도 상담 받아보거나 하셨어요?"

   A. 상담받아 봄: "비용도 저렴하고 한데 결정하지 못한 이유가 있으실까요?"
     상담 안 받아 봄: "따로 가보진 않으셨고, 혹시 주변 분 중에 그 정도 비용으로 하신 분들도 있으신가요?"

   B. 저렴하게 했는데 잘 됐다는 분도 있다면?
   "아마 그런 분이 있다면 더더욱 저렴한 임플란트 쪽으로 마음이 갈 거예요. 환자에게 임플란트를 잘한다라는 것은 '어쨌든 임플란트를 심어서 지금 씹을 수 있는가'에 대한 부분으로 보통 실력을 판단할 수밖에 없기 때문이죠. 하지만 당장 쓸 것만이 아니기 때문에 비용이 너무 저렴하면 오히려 조금 걱정하는 경우도 있습니다."

   C. 거긴 어떻게 하길래 그렇게 저렴할 수 있는지?
   • "저희도 의아한 부분이 많아요. 하루에 볼 수 있는 환자는 한정되어 있고 치과에서 생각하는 기준만큼 관리하고, 봐 드리려면 시간이나 비용이 많이 필요하기 때문입니다. 결국 저렴하면 더 많은 환자를 보고 환자 한 명 한 명에게 할 수 있는 부분은 다르지 않을까라고 생각들은 하고 있습니다."
   • "주변에 하신 분들한테 들어보시는 분들은 많은데 막상 내가 한다고 했을 때 가장 저렴한 곳을 찾진 않는 경우가 많습니다. ○○님이 생각하신 비용은 어느 정도 선인가요(또는 비용에 대한 예시로 100만 원 정도 선으로 많이들

생각은 하시던데 어떠신지 물어본다)? 다들 임플란트는 한 번 하면 오래 쓰셔야 하기 때문에, 당장 20-30만 원의 비용 차이가 아닌, 10년 이상 쓸 비용의 차이로 생각하십니다."

- "비용적인 부분 이외에 임플란트 하실 때 '어떤 부분들을 따져봐야 한다, 어떤 부분들이 중요하다'라는 부분들은 혹시 들어보셨나요?"
→ 병원의 장점이나 임플란트 관련 특이성에 대한 이야기를 하기 위한 질문

D. 결론: 비용이 저렴한 치과, 덤핑인 치과들이 많아지니 오히려 환자들이 이것저것 많이 따져보고 결정한다. 비용이 더 비싼 걸 알면서도 선택하기 때문에 당연히 환자들의 기대치는 커진다. 그런데도 이렇게 수가를 유지할 수 있는 건 선택해주신 부분에 대한 책임감과 그 기대치 이상을 채워 드리기 때문에 가능한 것 같다고 설명한다.

E. 보험 임플란트에 관한 이야기로 풀어나갈 수도 있다.
환자들은 본인부담금 30만 원 정도만 알고 있고 실제 치과가 받는 비용을 모두 포함한 보험 임플란트의 비용은 모르는 경우가 대부분이다.
→ 임플란트는 보험이 적용되는 부분인데 알고 계시는지, 그 비용이 혹시 어느 정도로 측정되어 있는지에 대해 알고 계시는지 물어본다. 65세 이상이신 분들의 임플란트를 해드리는데 적어도 110-120만 원 정도의 비용(병원마다 조금 차이는 있음)은 받아야 한다. 건강보험공단에서 정해진 비용이 이 정도이고 그 비용을 정할 때 필요 이상으로 금액을 높게 측정해 줄 리는 없을 것이다(건강보험공단이 철저하다는 이야기를 덧붙여도 좋다).
→ 65세 이상의 분들이 사용하길 기대하는 기간과 환자가 기대하는 기간도 다를 것이고, 보험에서 적용되는 부분이 오랫동안 잘 쓰는 것까지 책임지는 것은 당연히 아니다(보증기간 3개월 관련). 그런데 그보다 비용이 훨씬 낮다면 어떨까라는 부분들을 환자들이 더 많이 생각한다. 왜 이렇게 저렴한지 반대로 물어보시는 분도 있다.
오히려 보험임플란트가 생기면서 기준이 명확해져 병원 측에서는 안내하기가 수월해졌다.

CHAPTER 1
CHAPTER 2
CHAPTER 3
CHAPTER 4
CHAPTER 5
CHAPTER 6
CHAPTER 7
CHAPTER 8
CHAPTER 9

⑦ 여기는 왜 임플란트 가격이 안 내려가나요?

내릴 수 있지만 안 내린다는 의도가 자신 있게 들어가야 한다.

"비용은 진료의 가치입니다. 비용을 내린다면 진료의 과정에서 부족한 부분이 생길 수 있는데 이만큼 해드려야 오래 사용한다는 걸 알고 있으면서 비용을 내릴 수는 없지 않을까요? 비용을 싸게 받아 더 많은 환자를 보려고 덜 해드릴 수는 없습니다. 저희 치과는 제대로 된 비용을 받고 그분들이 만족하여 소개할 수 있을 정도의 치과를 만들고자 하는 방향성을 가지고 있습니다. 시간이 지날수록 원장님 실력도 장비도 재료도 좋아지면 좋아졌지, 안 좋아진 건 없습니다. 다만 저렴한 치과가 있음에도 불구하고 저희 치과를 믿고 선택해주시기 때문에 기대치가 높은 걸 알고 있고, 그 기대치를 충분히 채워 드리기 때문에 계속해서 환자들이 오는 것 같습니다." 라고 안내한다(병원 수술 스케줄 등을 보여주거나 대기하는 환자들이 많을 경우 그 부분을 이야기해도 좋다).

4) 교정 상담
(1) 상담을 위한 임상 이론
① 교정 치료의 의의

상하 치아 관계가 정상적이지 못하거나 치아 배열이 정상 범위에서 벗어난 상태를 부정교합이라고 한다. 이러한 부정교합을 치료하는 과정을 교정 치료라고 하는데 교정치료는 몇 가지 중요한 의미를 가지고 있다.

A. 치아 건강과 기능의 회복

치아 배열이 나쁘면 정상적인 치아의 기능이 잘 이뤄지지 않게 되고 나중에는 치아가 빨리 손상되거나 마모가 심해지는 등 기능상 문제를 초래할 수 있다.

또 부정교합이 있는 경우에는 치아 아시에 있는 공간이 정상적이지 않으므로 나이가 들면서 대체적으로 잇몸이 약해지는 것과 맞물려 음식물이 끼게 되는 등 문제가 생길 수 있다. 심한 경우에는 관리가 잘 되지 않아 치아를 빼야 하는 경우도 있다.

B. 심미적인 이유

가지런한 치아 배열은 인상과 이미지를 좌우하는 중요한 부분이 될 수 있다.

② 교정 치료의 원리

치아 교정은 뼈의 흡수와 생성 원리를 이용한다. 철사, 스프링 등 교정 장치로 치아를 잡아당기면 잇몸뼈에 힘이 전달돼 교정력이 전달되는 곳은 흡수되고 반대쪽에서는 뼈가 차오르게 된다. 이같은 과정을 반복하면 치아를 원하는 방향으로 천천히 이동시킬 수 있다. 사춘기 전후에 교정치료를 받으면 좋은 것도 이같은 골대사 과정이 활발하게 일어나는 시기이기 때문이다.

③ 교정치료 시 제1소구치의 발치 이유

A. 치열의 중심에 위치하여 전치부 혹은 구치부 총생을 모두 해소할 수 있다.
B. 제1소구치, 제2소구치 형태가 유사하다.
C. 심미적이나 기능적인 면에서는 가장 영향력이 적다.

④ 교정 장치 종류

A. 메탈 브라켓

가장 기본적인 장치로, 내구성이 좋아 파손 가능성이 적으며 정밀도 및 효율성이 우수하다. 비용이 가장 저렴하나 심미성이 떨어진다.

B. 레진 브라켓

투명한 플라스틱 교정 장치로 치아 색을 띠는 다른 교정 장치에 비해 비용 부담이 적다. 두께가 얇은 편이어서 이물감이 덜하나 착색이나 마모 현상이 있을 수 있다. 세라믹 장치에 비해 투명도가 떨어진다.

C. 세라믹 브라켓

도자기 재질의 교정 장치로 투명도가 좋아 심미적이며, 치료기간 내내 변색되지 않는 장점을 가지고 있다. 파절가능성이 있으며 레진 브라켓에 비해 비싸다.

D. 자가결찰장치

교정 장치와 철사를 연결하는 Ligature wire가 필요 없이 장치에 내재된 덮개(cap)를 여닫아 철사를 교환하는 장치로 치아가 이동할 때 생기는 마찰력을 줄여줘 치료기간이 단축되고, 통증이 감소되는 효과가 있다.

• 클리피엠

클리피엠은 자가결찰장치의 한 종류이며 메탈소재로 되어있다.

• 클리피씨

세라믹 소재로 되어 있으나 덮개 부분이 회색을 띄고 있 데이몬 클리어보다 심미성이 조금 떨어진다.

• 데이몬 클리어

세라믹 소재의 자가결창장치로 현재 바깥으로 붙이는 교정장치 중에서 가장 심미성이 뛰어나다.

• 클리피엘

클리피엠과 같은 메탈 소재이나 크기가 작고 얇아 설측 교정에 많이 사용되는 자가결찰장치이다.

E. 설측교정

개별 맞춤 장치를 제작 후 치아 안쪽 면에 장착하여 치료를 진행하는 치료 방법으로 외부에서 보이지 않는 장점이 있으나 처음 2-4주간 발음 적응 과정이 필요하다.

F. 콤비교정

주로 많이 보이는 위쪽 치아에는 안쪽으로 장착하는 설측 장치와 아래 치아에는 치아 색 장치를 조합한 치료 방법으로 설측 교정에 비해 비용이 저렴하다.

G. 투명교정

교정용 브라켓과 철사 없이 투명한 플라스틱 필름의 탄성을 이용하 치아를 이동시키는 치료 방법으로 눈에 띄지 않고 장치 부착에 의한 불편감이 없다. 교정 치료 후 재발되는 경우 등에 효과적이다.

H. 인비절라인

인비절라인만의 시스템으로 소프트웨어상에서 3D모델링 작업을 하고, 최신 제작 기술을 사용하여 제작하는 투명한 착탈식 치료 방법이다. 환자의 치료 의지 실행에 따라서 치료가 더딜 수 있다.

(2) 교정 상담의 특징

① 인상이 변화되고, 외모의 변화를 가져오는 치료로 한사람의 인생을 변화시킬 수도 있고 평생의 얼굴과 구강건강을 결정하는 치료이다. 삶의 본질적인 행복감을 향상시킬 수 있다.

② 주 상담의 연령층이 있다.

③ 환자는 어느 정도 각오하고 있다.

④ 상실보다 획득에 대한 이득을 강조해야 한다.

⑤ 타치과와 비교를 위한 쇼핑환자가 절대적으로 많다.

(3) 교정 상담 프로세스

① 신환 방문 시 교정 문진표 작성

"교정은 환자분들이 원하시는 방향성을 저희가 정확히 알고 있을수록 좋은 결과가 나오기 때문에 문진표 작성 요청 드려요."

CHAPTER 1
CHAPTER 2
CHAPTER 3
CHAPTER 4
CHAPTER 5
CHAPTER 6
CHAPTER 7
CHAPTER 8
CHAPTER 9

교정 문진표

교정은 한 사람의 인생을 변화 시킬 수도 있는 매우 중요한 진료입니다.
교정을 고민하신느 환자분에 대해 더 많은 부분을 정확히 알고 보다 더 도움이 되는 상담을 진행해드리기
위함이니 가능한 자세하고 솔직하게 답변해주세요.

아래 사항을 상세히 기제하시는 것이 최선의 진료에 도움이 됩니다.
의문 사항이 있으시면 문의하시기 바랍니다.

설문내용	해당되는 곳에 √표를 해주세요.(☑ 예)
1. 예전에 교정치료를 받은 적이 있나요?	☐ 예 　　　　☐ 아니오
2. 이전에 교정 상담을 받아 보신 경험이 있습니까?	☐ 처음이다 　　☐ 상담경험이 있다 ☐ 진단경험이 있다(2-1로 가주세요)
2-1. 진단 받으신 교정의 비용과 장치 종류는 무엇입니까?	- 교정 비용 : 　　　　/ - 장치 종류 :
3. 교정 상담을 하게 된 이유는 무엇인가요? (중복 가능)	☐ 콤플렉스(외모) ☐ 불편해서(기능) ☐ 교정필요 유/무 확인을 위해 ☐ 주변인(가족, 친구, 지인의 권유)
4. 교정을 통해 가장 고치고 싶은 것은?	☐ 토끼이 ☐ 비대칭 ☐ 고르지 않은 치열 ☐ 치아 사이 공간 ☐ 주걱턱 ☐ 비대칭 ☐ 반대교합 ☐ 개방교합 ☐ 기타 (　　　　　　)
5. 어떤 교정 치료를 생각하고 계십니까?	☐ 전체교정 ☐ 앞니교정 ☐ 어금니 부분 교정
6. 교정치료 시 가장 중요하게 고려하는 사항은? (중복 가능)	☐ 치료의 퀄리티 ☐ 비용 ☐ 치료기간 ☐ 장치종류 ☐ 내원거리 ☐ 기타 (　　　　　　)
7. 향후 1-2년 내에 계획하는 일이 있으신가요?	☐ 면접 ☐ 결혼 ☐ 군대 ☐ 유학 ☐ 장기출장
8. 충치가 심하거나 빠진 치아가 있으신가요?	☐ 예 　　　　☐ 아니오
9. 임플란트 한 치아가 있으신가요?	☐ 예 　　　　☐ 아니오

② 진단 전 상담 진행

A. 본인에 대한 소개/상담에 정성을 쏟는 이유 등 관련하여 이야기하기

"교정은 다른 치과 치료와는 달리 평생 어떤 모습으로, 그리고 얼마나 건강하게 지낼 수 있게끔 하는지가 결정되는 부분이라 저희는 상담을 굉장히 중요하게 생각합니다. 실제 교정을 했는데 취업을 하기도 하고, 결혼을 하기도 하고 이런 모습들을 보면 교정을 하는 과정이 한사람에게 있어 얼마나 중요한 과정인지 많이 느껍니다. ○○○님도 저희 치과에서 교정하면서 좋은 일들 많이 생기면 좋겠습니다."

B. 내원 경로는 반드시 파악 필요

소개/인터넷 등(소개라면 무슨 이야기를 듣고, 인터넷이라면 무엇을 찾아보고 왔는지, 그리고 그 부분에 대해서 중요한 요소라는 부분을 알려줄 수 있도록)

C. 우리 치과에 대한 이미지 만들어 주면서 교정 치과 선택 시의 기준을 제시

"요새 교정 치과 관련해서 워낙 말들이 많다 보니 ○○지역에서도 10년 이상 된 교정 치과는 워낙 드뭅니다(교정이라는 치료 자체가 전체 치아를 건드리는 일이고 계속해서 체크해드리고 유지가 잘되게끔 하는 것이 중요한데 우리는 그런 부분에 있어서 입증이 된 치과이다라는 느낌).

더군다나 교정을 하는데 있어 치아가 가지런해지는 것도 중요하지만 건강하게 유지되는 것도 중요한 부분이라 여러 과 원장님이 전문으로 봐주는 치과로 알아보고 오시는 분들이 많으시더라고요. ○○○님은 어떠신지요?"

③ 교정을 통해 바꾸고 싶은 부분에 대해 정확히 파악

대부분 교정을 생각하는 환자들은 "어떻게 보여지는가"에 대한 고민 때문에 시작한다. 이 부분에 대해 확인하고 니즈를 높여준다. 교정으로 확연히 바뀔 수 있는 부분에 대한 니즈를 더 극대화해주어야 한다(진료적인 부분에 대한 니즈를 높이는 것뿐만 아니라, 교정으로 인해 바뀔 수 있는 많은 변화에 대한 부분도 함께 니즈가 올라가면 더 좋다. 예: 취업 결혼 승진 등).

④ 환자 머릿속에 그려진 교정에 대해 대략적으로 저항요인을 파악한다. 예상하는 교정 비용이나, 원하는 장치/저항요인에 대해 파악하여 해결한다.

대략적인 비용은 환자가 이야기 해주지 않을 경우 먼저 대략을 제시해도 괜찮다.

"세라믹으로 하면 그래도 300-400 정도 선은 보통 이야기 하시던데, 어떠세요?"

⑤ 원장님에 대한 소개(스타마케팅 요소)가 가능하다면 더 좋다. 특별한 소개를 하지 않는다면, 예진 시 원장님이 오시기 전에 간단한 소개라도 한다.

⑥ 전 상담 내용 중 원장님께 미리 이야기 드려야 할 부분을 전달한다
예: 저항요인이 이런 부분이 있다, 이 부분에 대한 니즈가 크다, 이 부분에 대해 확신 있게 말씀주시면 좋겠다 등

⑦ 원장님 진단
교정의 니즈를 높여 주는 과정으로, 내가 그 부분을 잘 도와주겠다라는 느낌을 주는게 가장 중요하며 아직 교정을 하고 싶다는 부분에 대해서도 정확하지 않은 환자에게 저항요인을 더 늘려줄 필요는 없다(예: 블랙트라이앵글).

⑧ 진단 후 상담
A. 원장님의 진단 중 환자가 오해할만한 부분 및 니즈를 하락시키는 멘트 중 충분히 본인이 채워 나갈 수 있는 부분이라면 그 부분 관련해서 먼저 이야기한다.

B. 원장님 이야기 들어 보니 어떤 것 같은지 교정을 시작하고 싶은 생각이 드는지 환자의 의사를 먼저 확인한다.
• 하고싶다 - 그렇다면 교정 상담을 진행한다(전반적인 비용 상담까지 진행하면 되지만 교정의 진료 과정은 자세히 장황히, 설명할 필요 없다).
• 아직 잘 모르겠다! - "혹시 어떤 부분 때문에 고민되세요?" 라고 물어본다. 환자의 답변을 들은 후 저항요인에 대한 해결이 필요하다.
• 결정이 안 될 경우 진단 준비만 유도 - "정확한 진단을 한 번 받아 보시는 건 어떠실까요? 진단을 해놓으면 언제든 저희 치과에서 진행할 수 있습니다. 우리가 건강검진을 동네 내과에서 하지 않고 대학병원에서 하는 이유는 그 진단에 대한 정확성 때문입니다. 이미 교정으로 10년 이상 되었고, 원장님의 경력이 이 정도인 치과는 많지 않습니다. 그래서 환자들에 대한 데이터 자체가 워낙 많아 진단의 정확성이 다릅니다. 실제 저희 치과에서 하실 수 없는 분(예: 지방에서 거주 중인 사람)인데도 비용을 이중으로 들여 진단을

저희 치과에서 받아 보신 분도 있습니다. 워낙 교정을 잘하는 치과이기 때문입니다. 그만큼 진단이 중요하고 그 진단의 정확성과 퀄리티가 중요합니다."

⑨ 교정 상담

A. 비용에 대한 대략적인 해결부터 해야 한다(병원의 수가와 큰 차이가 없진 않은지, 덤핑치과를 알아보는지 등). 전 상담에서 이미 이 이야기가 오갔다면 훨씬 더 수월하다.

B. 처음부터 교정장치 종류를 전부 설명해선 안된다. 환자가 특별히 원하는 장치가 있다면 예외이지만 장치에 대해 아는 부분이 없는 경우, 월비/유지장치를 제외한 순수 장치비 중 우리 병원의 최소 장치비로 교정 시작이 가능한지를 파악한다. 즉 우리 병원에서 교정을 하고 싶다는 부분이 먼저 동의되고, 그 뒤에 장치에 대한 종류 설명이 순차적으로 나온다.
여기서 비용의 gap이 크면 우리치과 장점을 어필하고, 교정치료가 가지는 특성(수명차트 활용 등)을 보여준다.

수명차트

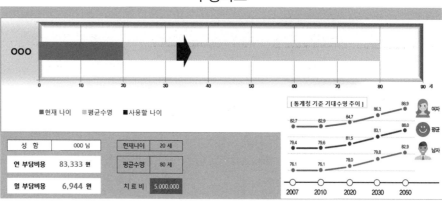

- 수명차트 활용
  - "○○○님 말대로 비싸게 느끼는 것이 맞습니다. 보통 교정치료를 환자분들이 많은 비용을 들여서 하시고 실제로 많이 부담을 느끼십니다. 하지만 교정은 다른 치료와는 달리 이번에 한 번 하셔서 가지런해지면 이 그대로를 평생 쓰시는 거라 당장 드는 비용이 아닌 그 기간 동안 쓸 비용이라고 생각

을 하십니다. 그래서 저희는 사실 이렇게 직접 보여 드리기도 해요."

- "교정을 결정하시는 분 중에 내가 4-500 들어서 평생 예뻐지는 것이면 그래 봤자 1년에 20-30만 원 비용이라고 하시면서 결정하시더라고요. 그 분 이야기 듣고 저희가 이렇게 직접 보여드리게 되었습니다."

- "저희는 교정치료를 하는 데 있어 당장 예뻐지게끔 하는 것이 아니라 앞으로 ○○○님이 쭉 이 상태를 유지하며 지내신다고 생각하고 책임감을 가지고 합니다. 그리고 교정치료가 실제 어느 정도의 비용이고 얼마만큼의 가치를 가지는지 치료를 들어가시는 분들에게 모두 보여줍니다. 결국 그 비용에 대해 가치를 많이 느끼시는 만큼 치료 과정에 있어서 참여도도 높고 치료 후에도 정기적으로 내원하시더라고요."

C. 월비에 대한 인지여부 파악: "매달 내는 치료비 개념이라고 보시면 되고 그렇게 되면 ○만원 이다.", "최대 언제까지만 내시는 것이다." 정도로 답한다.

  * 환자가 물어보면 어쩔 수 없지만 습관상 "월비는 총 얼마입니다."라고 비용을 추가로 크게 느끼게 끔 이야기 하지 않는게 좋다.

D. 유지장치에 대한 비용 안내: 왜 유지가 중요한지, 그리고 우리 치과가 고정식, 가철식 모두 하는 이유 등을 설명 하면서 일정기간 이내 재교정 시 보증 부분 등을 추가적으로 이야기 해줘도 된다.

E. 비용의 차이는 교정의 특성, 수명차트 관련 내용을 활용한다.

F. 전반적인 금액에 대략 동의 후 장치 종류를 업그레이드한다. 예를 들어, 30만 원이 더 비싸다면 "교정기간 중에 이러한 부분이 장점이라면 한달에 1-2만원 정도 더 주시고 교정 하시는 게 괜찮으시겠냐" 라는 식으로 비용을 쪼개주도록 한다.

4. 고객유형 및 상황별 상담기법

1) 빈정거리는 고객

(1) 특징
① 문제 자체에 집중하지 않고 특정한 문구나 단어를 가지고 항의한다.
② 강한 추궁이나 면박을 받으면 대답을 피한다.

(2) 상담기법
① 정중한 태도를 잃지 않고 의연하게 대처한다.
② 대화의 초점을 주제방향으로 유도하여 해결에 접근할 수 있도록 한다.
③ 질문법을 활용하여 고객의 의도를 이끌어 내도록 한다.
④ 감정조절을 잘하여 고객의 의도에 휘말리지 않도록 한다.

2) 우유부단한 고객

(1) 특징
① 본인이 바라는 내용을 정확히 표현하지 않는다.
② 자신을 위해 의사결정을 내려주기 바란다.

(2) 상담기법
① 인내심을 가지고 천천히 응대한다.
② 고객의 의도를 표면화하기 위해 질문을 하여 고객이 자신의 생각을 솔직히 드러낼 수 있도록 도와주며, 주의 깊게 들어 의도를 파악한다.
③ 보상 기준과 이점을 성실하게 설명하고 신뢰를 느낄 수 있도록 한다.
④ 몇 가지 선택사항을 전달하여 의사결정의 과정을 잘 안내한다.

3) 전문가적인 고객

(1) 특징
① 자신이 가진 생각에 대한 고집을 꺾지 않는다.
② 일반 사람들과 달리 좀처럼 설득되지 않는다.

CHAPTER 1
CHAPTER 2
CHAPTER 3
CHAPTER 4
CHAPTER 5
CHAPTER 6
CHAPTER 7
CHAPTER 8
CHAPTER 9

(2) 상담기법

① 고객의 말을 경청하고 상대의 의견을 존중한다.

② 상대를 높여주고 친밀감을 조성한다.

③ 상담원의 전문성을 너무 강조하지 않고 문제해결에 초점을 맞춘다.

④ 고객을 가르친다는 식의 상담은 금물이다.

4) 저돌적인 고객

(1) 특징

① 본인의 생각만이 유일한 답이라고 믿고 계속 관철시키려 한다.

② 상대방의 말을 자르고 자신의 생각을 주장하며 분위기를 압도하려 한다.

(2) 상담기법

① 침착함을 유지하고 자신감 있는 자세로 정중하게 응대한다.

② 부드러운 분위기를 유지하며 정성스럽게 응대한다.

③ 상담 시 음성에 웃음이 섞이지 않도록 유의한다.

④ 고객을 진정시키려 하기보다는 고객 스스로 감정조절을 할 수 있도록 유도한다.

⑤ 고객이 말을 자르면 양보하고 충분히 말을 할 수 있도록 한다.

5) 지나치게 사교적인 고객

(1) 특징

① 사교적이며 협조적인 고객이다.

② 자신이 원하지 않는 상황에도 약속하는 경우가 있다.

(2) 상담기법

① 맞장구를 잘 치는 고객의 의도에 말려들 위험이 있으므로 말을 절제한다.

② 고객의 진의를 파악할 수 있도록 질문을 활용하여 다른 의도를 경계한다.

③ 내용을 잘 이해하고 있는지를 확인하며 대화한다.

6) 같은 말을 장시간 되풀이하는 고객

(1) 특징

① 자아가 강하다.

② 끈질긴 성격의 고객이다.

(2) 상담기법
① 고객의 말에 지나치게 동조하지 않는다.
② 고객의 말을 요약하고 확인하여 문제를 충분히 인지하였다는 것을 알린다.
③ 문제해결에 확실한 결론을 내어 확신을 준다.
④ 회피하려는 느낌을 주면 부담이 가중되므로 가능한 신속한 결단을 한다.

7) 불평을 늘어놓는 고객
(1) 특징
① 사사건건 트집을 잡는다.
② 불평을 늘어놓는 것을 즐기는 고객이다.

(2) 상담기법
① "옳습니다. 고객님 참 예리하시군요.", "저도 그렇게 생각합니다."라고 하며 설득하는 것이 좋다.
② 고객을 인정한 후 차근차근 설명하여 이해시킨다.
③ 회피하거나 즉각적인 반론으로 고객을 자극하지 않는다.

8) 소개 환자 상담
(1) 환자의 생각 이해하기
① 소개로 왔으니 잘해주겠지?
② 비용 대충 아는데 비슷하겠지?
③ 여기가 정말 그렇게 좋은가?
④ 소개해준 사람을 기억하려나?
⑤ 소개로 왔는데 속이지는 않겠지?

(2) 상담 Key
① 소개해 주신 분에 대한 정확한 파악
소개해 주신 분의 진료 내용을 이야기하는 것은 문제가 될 수 있으므로 케이스에 따라 유의해서 활용한다. 소개해주신 분이 본원에서 어떤 치료를 받았고 정기적으

커뮤니케이션이론

CHAPTER 1
CHAPTER 2
CHAPTER 3
CHAPTER 4
CHAPTER 5
CHAPTER 6
CHAPTER 7
CHAPTER 8
CHAPTER 9

로 내원 중인지, 충성도가 높은 분인지 등을 상담 전 반드시 미리 파악한다.

② 어떤 이유로 소개받아서 왔는지/소개해주신 분이 해준 이야기 파악

"○○○님이 저희 병원에 대해 어떤 이야기 해주시던가요?"

"원장님 진료 꼼꼼하게 하는 거 혹시 듣고 오셨나요?"

"혹시 어떤 부분에 대한 이야기 듣고 저희 치과 한번 와봐야겠다라고 생각하셨는 지 여쭤봐도 괜찮을까요?"

③ 소개 환자가 많음에 대한 은근한 자랑

④ 타원 이탈 여부 및 이탈 이유 파악, 본원에서 이 부분에 대해 신경 써줄 필요성 있음

⑤ 본원 수가에 대한 인지 여부 확인

⑥ 소개로 오신 분들은 특별히 챙겨 드리기

단순히 비용적인 부분만이 아닌, 신경 써서 해드리는 부분들에 대해 치료 진행과 정에서도 보여주는 게 중요하다.

⑦ 소개해 주신 분과 동일한 환경을 만들어, 두 사람 간의 스토리텔링 요소 생성

(예: 동일한 스텝이 스케일링 진행)

9) 구신환 상담

구신환은 예전에 치료를 받은 후 오랜만에 치과를 찾아온 환자이다. 이 환자는 구환인데 충성도가 없기 때문에, 또는 병원에 대한 만족감은 있지만 개인적인 이유 (이사)로 내원하지 않았을 것이다. 그럼에도 다시 치과를 찾은 이유와 기대치를 파악하고 관리가 필요하다.

(1) 환자의 생각 이해하기

① 이 치과가 아직도 있네? 기억하려나?

② 치과들이 요즘 많이 저렴해졌으니 비용이 좀 더 내려갔을까?

③ 자주 내원은 하지 않지만, 오랫동안 병원을 찾아오고 있음에 스스로 VIP라는

생각을 가지는 경우도 있다.

(2) 상담 Key

① 이전 치료에 대한 만족도를 파악한다. 상담 전 반드시 체어사이드에서 이전 치료 부위를 문제없이 잘 사용하고 있음을 파악하고 들어가는 습관이 필요하다. 상담을 진행하는 과정에서 이전 치료에 대한 불만을 이야기하는 경우들이 있다.

② 내원하지 않은 기간 동안 타원에서의 치료 및 관리 여부를 파악한다. 타원에서 진료를 받았다가 좋지 않은 경험으로 다시 찾아오는 경우들도 있다.

③ 믿고 찾아 주시는 분들에게는 원장님도 더 마음이 가고 신경이 쓰인다는 부분을 전달한다.

④ 특히 10년 가까이 또는 그 이상 된 치과라면 상담 시 아주 큰 강점 요인이므로 이 부분에 대한 활용이 필요하다. 즉 진료를 잘할 것 같은 치과가 아니라 이미 오랜 기간 동안 환자들이 만족스러워 찾아주는 치과이기 때문에 잘한다고 믿고 올 수 있다는 부분을 강조한다.

10) 쇼핑 환자 상담(그냥 비용만 이야기해줘요)

(1) 환자의 생각 이해하기

① 일단 가격만 들어 봐야지

② 아까 가본 치과에서 나한테 제대로 말해준 게 맞나? 다닐수록 헷갈리네

③ 여기도 비싸면 다른데 또 가봐야지

(2) 상담 Key

① 상담자의 평점심 유지

쇼핑환자임에 기분 나빠 하지 않는 게 상담의 가장 중요한 point이다.

당연히 비교할 수 있음에 대해, 큰 비용을 들어서 하는 만큼 결정이 쉽지 않음에 대해 공감하는 과정이 필요하다.

② 다른 데서 들어보지 못한 이야기들을 해주는 게 중요하다.

단순히 비용을 설명하고 치료계획만을 이야기해 준다면 환자는 계속해서 가격 비교만을 위해 쇼핑을 할 것이다. 이 치료가 왜 중요하고 장기적으로 우리가 어떤

부분을 책임지고 관리해줄 수 있는지, 그리고 치과 선택 시 어떤 부분들이 중요한지에 대해 전달해주는 과정이 필요하다.

③ 경쟁 치과에 대해서는 절대 험담하지 않는다.

이전에 다녀온 치과, 이전에 치료받았던 치과는 환자의 과거 선택에 의한 것이다. 그 부분에 대해 인정해주고 오히려 칭찬해줌으로써 그 치과를 왜 선택하지 않았는지, 어떤 부분이 해소되지 않아 본원을 오게 되었는지 파악할 수 있다.

상담자는 주변 치과들의 특성과 상담 시 어필하는 강점요소이다. 수가 등에 대해 주기적으로 파악해두는 것이 상담 시 도움이 된다.

④ 당일에 선택하지 않더라도 기억에 남도록 여운을 남긴다.

당연히 고민해볼 수 있다라는 부분, 그만큼 중요하다라는 부분에 대해 강조하고 전화를 통한 재확인을 약속한다. 또는 가서라도, 타 치과를 알아보다가도 궁금한 부분들이 생긴다면 전화해도 좋다라는 부분을 전달한다(상담자와의 관계성을 형성한다). 어렵게 결정하시는 만큼 치료 결정 시 신경 써서 잘 해드리겠음을 전달한다.

(3) 상담 스크립트 예시

① "비용은 제가 오늘 아주 자세히 알려드릴 거예요. 비용을 듣고 선택하시는 건 어차피 ○○○님의 몫입니다. 치료를 하는데 비용이 정말 중요한 부분은 맞지만, 비용만 듣고 ○○○님이 선택하시려면 어려울 것 같습니다. 저는 제가 상담 해드리는 이상, 마음이 불편해서 환자분들을 그렇게는 못 보내겠더라고요. 저 한테 10분 정도만 시간 내주실 수 있으실까요? 그러면 제가 도와드리고 싶습니다. 이번에 선택해서 치과 치료 한 번 들어가면 되돌릴 수 없고 앞으로 어머님이 건강하게 지내실 수 있게 맛있는 거 잘 드실 수 있도록 하는 치아를 어디서 치료할지 선택하는 것이니, 어머님 치료하는 데 있어 어떤 것을 중요하게 생각해야 되는지, 어떤 걸 따져봐야 어머님한테 도움 되는 건지 정도는 듣는 것이 더 좋지 않으실까요"

② 10분 동안 Tx plan을 설명하는 건 의미 없다(그럼 정말 그것만 듣고 나가기 때문에 10분 넘게 이야기를 해도 환자가 계속 듣고 싶어져야 한다).
그 환자에게 정말 꼭 필요한 이야기를 우리 치과의 장점과 우리 치과만의 특성과

함께 이야기를 해주는 것이 중요하다. 진료에 대한 부분도 단순히 어떻게 치료해야 한다가 아니라, "○○○님의 경우에는 이러이러한 치과를, ○○○님 치아는 전반적으로 이러 이러해서, ○○○님의 이 치아는 이러이러한 상황이므로-" 어디 가서도 들을 수 없는, 그 환자에게 "진짜" 필요한 이야기를 내가 해준다고 생각하고 상담을 해주는 게 중요하다.

5. 환자관리 시스템

1) 환자 경험 관리(Patient Experience Management, PEM)

한동안 의료기관에서는 고객 만족을 목표로 경영을 하는 추세였으나 최근에는 환자 경험 관리에 중심을 두고 있다. 환자 경험은 환자 중심 의료를 지향하는 것으로 모든 치료 과정에 환자와 그 가족이 의료 의사결정에 참여하는 것을 강조하는 개념이다.

(1) 환자 중심 의료의 정의

① 환자를 존중하여 모든 의료행위 결정에 참여하도록 하며, 모든 정보를 환자와 공유하고 환자의 정서적 신체적 안정을 위한 정책과 교육을 진행하는 것을 의미한다.

② 병원에 가기 전 병원에 대한 정보와 기대치부터 시작하며 도착해서 주차장부터 진료과정에서의 의사소통, 공감, 진료, 환경, 절차, 병원의 분위기, 편익시설 등 전체 과정에서 보고 듣고 만지며 느끼는 직접적이고 간접적이며, 의료적이고 비의료적이며, 심리적인 정서 부분 그리고 치료 후 느낌 등 모든 것을 포함한 총체적인 것을 의미한다.

(2) 환자 만족과 환자 경험의 차이

환자 만족은 고객 만족도 향상을 목적으로 '환자를 어떻게 만족시킬 것인가'라는 고민을 갖고 내부적으로 고객 중심 서비스를 통해 그 결과 환자가 만족하였는가에 대한 질문에 포괄적으로 '만족하였다'란 답을 얻는 것이라면, 환자 경험은 환자가 치료를 받기 위해 진행하는 모든 결정사항에 직접 참여하여 모든 접점에서 일어나는 상호작용에 의한 경험과 느낌을 '구체적인 경험에 대해 만족하며 존중하고 행복한 느낌이었다'라는 답을 얻을 수 있는 것을 의미한다.

주요 내용	환자 경험(PE)	환자 만족(PS)
질 평가 영역	과정	결과
측정 방식	Reporting	Rating(등급)
평가	환자 터치포인트 평가	전체 만족도 평가
지표	모든 접점 환자 경험 중심	고객 만족도 중심
환자 참여 결정	결정사항 참여	결정 후 설명 중심
관점	의료진이 환자 관점 중시	의료진 관점이 지배적
교육	정서적, 심리적 배려 교육	친절도 향상, 안전 위 주 교육
의사소통	존중/예의/경청 (전체 개별적 중심)	친절하고 자세한 설명 (전체 평균 중심)
체계 관리	세분화된 고객 경험 지도	고객 접점 중심 (MOT)
병원의 정책	환자 참여하여 수렴	의료기관 내부 결정
환자 느낌	존중, 가치있는 삶이란 느낌	친절한 느낌
궁극적 목표	환자 가치 중심 의료	고객 만족 결과 중심

(3) PEM을 위한 환자 중심의 의사소통

① 첫 대면에서부터 관계는 시작된다.

A. 환자는 의료진의 표정을 가장 먼저 본다.

환자들은 의료진의 행복한 표정을 볼 때 신뢰가 형성된다. 다만, 병원이라는 곳이 일반적이지 않은 상황에 놓인 환자들을 만나게 되는 접점인 만큼 상황에 맞는 표현이 중요하다. 첫 만남에서 가장 적절한 의료진의 효정은 '밝게 웃는 표정'이 아니라 '부드러운 미소'이다.

B. 좋은 목소리는 오래 기억에 남는다.

환자에게 신뢰를 주는 좋은 목소리는 높고 격양된 목소리보다는 중저음의 안정된 목소리이고 빠른 속도의 말은 메시지에 대한 신뢰감까지 떨어뜨리기에 차근차근 이야기하는 것이 좋다. 또한 환자가 제공된 정보를 잘 기억하게 하기 위해서는 중요한 부분은 천천히 짚어주는 말하기가 도움이 된다.

② 환자의 신뢰를 높이는 공감 커뮤니케이션

환자는 즉각적인 해결이 아니라 공감받기를 원한다. 공감은 쉽게 말해서 '마음 읽기 능력'이라고 할 수 있다. 공감은 크게 두 가지로 이루어지는데 하나는 다른 사람의 마음을 읽어내는 인지적 능력인 '인지적 공감'이고 다른 하나는 다른 사람이 감정을 공유하고 반응하는 능력인 '정서적 공감'이다. 공감을 실천하기 위해서는 연습이 필요한데 상대방의 생각, 느낌, 의도를 이해하려고 노력하고 '왜 그런 행동을 했을까'를 생각해보는 것이다.

③ 환자의 이해도를 높이는 설명 커뮤니케이션

A. 환자의 어법으로 설명하기

제대로 설명을 한다는 것은 단순한 정보전달을 넘어서는 것이며 이해와 결정을 환자와 공유하는 것이다.

의학용어를 최대한 사용하지 않으면서 정보를 전달하고, 정보를 줄 때는 순서가 매우 중요하다. 환자는 제일 먼저 들은 내용을 가장 잘 기억한다. 그러므로 가장 중요한 사항은 대화 서두에 먼저 말해주는 것이 효과적이다.

• 명확하게 분류하기 기법

"이제 환자분에게 제가 보기에 잘못된 것이 무언인지, 앞으로 어떤 일이 일어날 것으로 예상하고 있는지, 어떤 치료가 적절한지에 대해 설명하겠습니다."라고 말하는 것이다.

• 간결한 단어와 문장의 사용

장황하게 너무나 많은 정보를 주려고 노력하는 것보다는 제공된 정보를 환자들이 제대로 이해했는지를 확인하는 것이 더 도움이 된다.

B. 환자의 이해도를 확인하라

의료진은 설명에 매우 능숙하지만 그 설명을 이해해야 하는 환자들은 제공된 설명을 잘 이해하지 못한다.

환자의 이해도를 확인하는 과정을 습관화하는 것이 좋다.

"제가 설명 드린 부분을 이해하시겠어요?"

"환자분의 현재 상태와 관련하여 혹시 궁금하신 것이 있나요?"

"더 알고 싶은 것이 있다면 편하게 말씀해주세요."

➕ 더 알아보기

[중간상담]

교정환자나, 전체적인 치료진행으로 오랜 기간 치료를 진행해야 하는 full case환자의 경우 중간상담과정의 진행을 추천한다. 중간상담과정은 치료진행과정에 있어서 환자의 만족도를 파악하고, 치료 협조도를 높일 수 있으며 환자의 불만사항들에 대해 미리 인지함으로써 개선 및 예방이 가능한 중요한 프로세스가 된다.

예: 교정중간상담 시 포함 내용

- 현재까지의 교정치료 진행 상황
- 앞으로의 치료 진행 상황 및 기간
- 예약준수율
- 구강위생관리
- 치료가 필요한 caries Tx
- 그 외의 특이사항

[마무리 상담]

치료 완료 후 진행하는 마무리 상담을 통해 환자는 치료했던 부분들에 대해 다시 한 번 인지하고, 좋은 기억으로 마무리할 수 있다. 또한 치과에서는 이 프로세스를 통해 소개 환자를 자연스럽게 부탁할 수 있다.

마무리 상담 시 포함 내용

- 치료 전후 구강 내 사진 및 엑스레이 사진 비교를 통해 치료 후 변화된 모습을 시각적으로 보여준다.
- 치료한 부위와 관련하여 주의해야 할 사항들과 정기검진에 대한 안내를 해준다.
- 치료를 진행하며 좋았던 부분들이나, 불만사항들을 이야기 할 수 있는 기회를 만들어 병원의 전반적인 서비스 및 시스템 개선의 자료로 활용할 수 있다.

2) 리콜시스템

치료 종료 이후 환자에 맞는 주기별 정기검진을 통해, 치료 진행 부위의 검진 및 전반적인 치아 상태와 관리방법에 대해 체크하는 Re-care 과정이다.

CHAPTER 1
CHAPTER 2
CHAPTER 3
CHAPTER 4
CHAPTER 5
CHAPTER 6
CHAPTER 7
CHAPTER 8
CHAPTER 9

(1) 리콜시스템의 중요성

① 환자에 대한 지속적인 관심을 보임으로 환자와의 친근한 관계를 유지할 수 있다.

② 우리 병원에서 치료받은 환자는 끝까지 책임지겠다는 병원경영 마인드로 환자와의 깊은 신뢰감을 구축 할 수 있다.

③ 치료 후 시간이 경과하면서 나타날 수 있는 부작용에 대하여 환자가 '잘못된 치료'라고 오해하는 경우, 이에 대한 재점검 및 이해를 도울 수 있다.

④ 주기적인 정기검진을 통해 환자들에게 치과 상식을 높여 줌으로써, 치과가 구강질환 발생 후의 치료만을 위한 병원이라기보다는 질환 발생 전의 예방을 위해 꼭 찾아야 할 곳이라는 인식의 변화를 갖게 할 수 있다. 이를 통해 궁극적으로 치과에 대한 친숙함을 높일 수 있다.

⑤ 계속적인 유지관리를 통한 환자 만족도 향상과, 이를 통한 소개환자 창출 및 구전 마케팅 효과가 있다.

(2) 리콜 방법

① 즉시 약속

반드시 내원이 필요한 환자는 치료 종료와 동시에 예약을 미리 잡고 갈 수 있도록 한다.

• 예약 시 환자분에게 안내하는 안내멘트

"지금까지 치료받으러 오시느라 고생 많으셨어요. 잘 협조해 주셔서 치료 잘 마무리되었고요.

원장님이 특히나 치료 후 잘 쓰게끔 체크해야 건강하게 오래 쓰신다고 이 부분을 워낙 중요하게 생각하셔서 저희 치과는 리콜 관리를 좀 꼼꼼히 해드려요.

6개월 후 쯤 검진 오시는 예약 잡아 드릴게요.

오늘 9월 3일 월요일인데 6개월 뒤 내년 3월이네요. 3월 4일 월요일 같은 시간 5시쯤으로 예약해드릴게요. 문자 받으시고 못 오게 되시면 전화 주시면 됩니다! 아직도 6개월이나 남았는데 벌써 잡나 싶으실 수 있는데 저희가 컴퓨터상에 입력해 놓으면 간혹 누락되는 경우들이 생겨서 어머님 꼭 체크해드려야 하는데 놓칠까 봐요. 변동사항 있으면 전화 주시면 되니까 잡고 가세요!"

• 예약 잡고 간 리콜 환자 예약표 상에 색깔 다르게 표시!

변동 가능성 있으므로, 가능하다면 내원 전날 예약확인 전화 드리고 한 타임에

너무 많은 리콜 환자를 잡아 놓지 않도록 한다.

② 전화 약속

리콜 시기에 맞추어 전화 드려 리콜 예약을 잡아 드리도록 한다.

- 치료 종료 후 리콜 전화를 드릴 것이라는 부분에 대해 미리 전달한다.
- 가능한 환자와 라포가 형성되어 있는 상담자, 담당 진료스텝이 전화를 드리도록 한다.
- "정기검진 시기 되었으니 나오세요." 등의 일률적인 응대보다는 환자의 차트를 참고하여 치료했던 부위에 대한 검진 필요성, 평소 불편함 느끼던 부위들의 체크, 원장님께서 치료 후 잘 사용하는지 등에 대해 체크, "오셨으면 한다"라는 특별함에 대한 어필을 하여 기분 좋게 내원할 수 있도록 유도한다.
- 부재중 시에는 문자를 통해 한 번 더 남겨두도록 한다.

③ 그 외에 방법

- 문자 발송

정기검진 시기임을 문자로 알려주는 방법으로, 형식적인 문자가 될 수 있기 때문에 관리가 필요한 중요한 환자들의 경우 문자 이외의 방법을 활용하거나 문자를 보낸다 하더라도 환자에 맞는 개별화된 내용으로 문자를 준비하여 전송하도록 한다.

- 우편 발송

VIP 환자들의 경우 담당 스텝 또는 진료를 진행했던 의사가 직접 우편 발송을 활용하기도 한다. 특히 명절이나, 병원의 특별한 기념일 등에 활용할 수 있는 방법이며 관계성이 쌓여 있는 환자들의 경우 본인만을 위한 특별한 배려라고 생각하여 좋은 기억이 될 수 있다.

단, 우편 발송 시에도 형식적인 내용들이 아닌 환사 개개인에 맞춘 내용으로 보내는 게 중요하며 우편 발송 이후 추가적인 전화 등을 통해 환자의 반응 확인이 추가적으로 필요하다.

(3) 리콜 전 준비사항

① 우리 병원에서 리콜을 중요하게 생각하는 이유에 대한 부분을 전달한다(병원의 장점요소가 될 수 있음).

② 환자에게 리콜이 필요한 이유에 대해 전달한다(치료했던 부위나, 환자의 구강 상태, 개별적인 특성과 연관 지어 설명).

③ 리콜로 내원 시 진행하는 과정이나 체크해 줄 사항들에 대해 미리 안내한다.

④ 리콜로 내원 시 체크해야 할 사항들은 미리 차트에 기입하여 환자에 대해 잘 기억하고 있음을 느끼게끔 해준다(차팅 내용: 환자 관련 특이사항, 이전치료 관련 특이사항, 전반적인 관리상태 및 습관).

* 리콜 전 준비사항들을 통해 환자가 리콜이 중요하고, 반드시 내원해야 하는 과 정임을 인식하는 게 중요하다.

01 다음 중 상담의 기본원리로 맞지 <u>않는</u> 것은?

① 개인차를 인정한다.
② 모든 것을 수용할 필요는 없다.
③ 상담자는 되도록 중립적인 자세를 유지한다.
④ 비밀이 보장되어야 한다.

정답 2

상담의 기본 원리
1) 개인차를 인정한다
2) 우호적인 분위기를 만든다
3) 상담자는 피 상담자의 정서에 관여한다
4) 모든 것을 수용하는 자세를 가져야 한다
5) 상담자는 되도록 중립적인 자세를 유지한다
6) 피상담자가 자기결정을 내릴 수 있는 기회를 주어야 한다
7) 절대로 비밀이 보장되어야 한다

02 다음 중 환자의 경향 파악 요소에 해당되는 것은?

① 내원 경로
② 환자의 C.C
③ 과거의 치과 경험
④ 환자의 직업

정답 3

환자의 경향 파악 요소: 과거의 치과경험, 환자의 치과 치료에 대한 가치

03 다음은 환자 상담프로세스에서 어떤 단계에서 파악해야 할 질문인가?

> 치과를 선택하실 때 특별히 고려하시는 사항이 있다면 설명해주시겠습니까?

① 환자와의 관계성 형성/정보 파악 단계
② 환자의 니즈 파악 증폭 단계
③ 치료 거절 요인의 파악 및 거절 요인의 차단 단계
④ 관계성 재확립 및 소개 유도 단계

정답 2

04 환자 상담을 위한 상담자의 습관으로 옳지 않은 것은?

① 상담 시 시각화자료는 필요가 없다.
② 상담자로서 이미지 메이킹을 위한 노력을 게을리해선 안된다.
③ 환자와 눈높이를 같이 하며 전문용어 사용은 피한다.
④ 환자가 하고 싶은 말을 충분히 할 수 있도록 이야기를 들어준다.

정답 1

상담 시 시각화자료를 통해, 니즈를 높일 수 있다.

05 환자 상담프로세스 마지막 단계는?

① 환자의 니즈 파악&증폭
② 치료비용 제시 및 클로징을 통한 선택
③ 치료 거절 요인 파악 및 거절 요인의 차단하기
④ 관계성 재확립 및 소개유도

정답 4

상담프로세스 단계
1) 환자와의 관계성 형성 / 환자정보파악(내원경로 파악)
2) 환자의 니즈파악 & 증폭
3) 치료 거절 요인 파악 및 거절 요인의 차단하기
4) 현상황에 대한 인지 – 문제점 – 해결책 (치료방법에 대한 안내)
5) 치료비용 제시 및 클로징을 통한 선택
6) 관계성 재확립 및 소개유도

컴플레인 응대

Dental Management Officer

컴플레인 응대

Dental Management Officer

08

1. 컴플레인의 이해

1) 클레임(Claim)과 컴플레인(Complain)

고객이 제품이나 서비스에 만족하지 못한 상태로 불만을 표현하는 원인에 따라 클레임과 컴플레인으로 구분한다.

(1) 컴플레인

① 사전적인 의미는 '불평하다', '투덜거리다', '호소하다'라는 뜻으로 고객이 상품을 구매하는 과정이나 구매한 상품에 관한 품질, 서비스, 불량 등을 이유로 불만족한 감정을 토로하는 것을 말한다.

② 상대방의 잘못된 행위에 대한 불만 사항의 통보로 주의 정도에 해당하는 불만족을 의미한다.

③ 행동 또는 내부의 조치에 의해 해결될 수 있다.

(2) 클레임

① 사전적인 의미는 '주장하다', '요구하다', '제기하다'라는 뜻으로 어떤 고객이든 제기할 수 있는 객관적인 문제점에 대한 고객의 지적을 말한다.

② 계약 위반 또는 상품 표시 내용과 일치하지 않는 것, 품질 불완전 및 손상 등의 내용으로 손해배상 청구나 이의를 제기하는 것이다.

③ 클레임 처리가 잘못되었을 경우 고객에게 물질적, 정신적 보상은 물론 법적 판결에 따라 보상하기도 한다.

2) 컴플레인의 의의

(1) 고객의 컴플레인은 상품의 결함이나 문제점을 조직에서 파악하여 그 문제가 확산되기 전에 신속히 해결할 수 있는 기회를 제공한다.

(2) 고객은 컴플레인을 성의껏 처리해주는 기업에 대해 신뢰감을 더 높게 가지게

되므로 계속적인 구매 고객이 될 가능성이 높은 고객이라 할 수 있다.

(3) 불만을 가진 고객은 주변에 불만스러운 사건을 이야기하고 싶어 하는 심리를 가지고 있으므로, 고객의 컴플레인은 부정적인 구전 효과를 최소화할 수 있는 중요한 시점이라 할 수 있다. 고객의 불만족스러운 사항을 직접 기업 판매업자나 직원에게 불평하도록 유도하여 적극적인 자세로 응대한다면 부정적 구전 효과를 감소시킬 수 있다.

(4) 불만이 있어도 침묵하는 고객은 그대로 기업을 떠나버리지만 컴플레인을 하는 고객은 회복할 수 있는 기회를 주는 것이다. 컴플레인을 하지 않는다고 아무런 문제가 없는 것은 결코 아니다.

(5) 컴플레인을 제기한 고객은 기업이나 판매 측에 서비스 품질을 향상시킬 수 있는 유용한 정보를 제공한다. 고객의 컴플레인은 기업이 서비스를 어떻게 개선할 수 있는가에 대한 중요한 자료로 활용될 수 있다.

3) 컴플레인의 원인 및 영향력
(1) 컴플레인의 원인

기업 측 문제	고객 측 문제
• 불충분한 고객 안내 또는 약속 불이행 • 고객과의 의사소통 오류 • 업무 능숙도 부족 및 대기시간 문제 • 고객 감정에 대한 배려심 부족 • 업무 지식 부족 또는 전문가라는 우월감 • 성의 없는 응대 서비스 • 병원 입장에서만 정당화하는 태도와 병원의 규정만 준수하려는 행동 • 서비스 제공의 융통성 부족 • 원활하지 못한 내부 커뮤니케이션	• 지나친 기대 • 업무 및 프로세스에 대한 지식 부족 • 고객의 착오 및 과실 • 고객의 개인적인 감정 • 성급한 결론, 독단적인 해석 • 고객이 왕이라는 우월감과 보상심리 • "병원이 여기뿐이냐"는 비교 심리 • 열등의식 • 고의성과 악의

(2) 컴플레인을 야기하는 직원의 태도

미국 품질관리학회의 조사에 따르면, 고객 이탈 사유 1위가 '고객 접점에서의 서비스 문제'로 나타났다. 즉, 고객 불만을 초래하는 가장 큰 원인이 직원들의 고객응대 과정에서 비롯된다는 것을 알 수 있다.

무관심	내 소관, 내 책임이 아니며 나와는 상관이 없다는 태도로써 고객에 대한 책임감과 조직에 대한 소속감이 없는 직원의 경우에 나타나는 태도
무시	고객의 불만을 못 들은 체 하거나 별것 아니라는 식의 태도
냉담	고객을 귀찮은 존재로 취급하여 차갑고 퉁명스럽게 대하는 태도
거만	고객을 무지하고 어리숙하게 보거나 투정을 부린다는 식으로 대하는 태도
경직화	마음을 담지 않은 인사나 응대, 고객을 대하는데 있어 기계적이고 반복적인 답변
규정제일	항상 규정만을 내세우며 고객에게 준수토록 강요하거나 자기는 규정대로 한다는 식의 태도
발뺌	자기의 업무영역, 책임한계 만을 말하며 처리를 타 부분에 떠넘기는 태도

(3) 컴플레인의 영향력

① 불만족한 경험을 한 고객은 주변의 고객들에게 불만을 확장하여 평판에 영향을 미치게 되어 잠재고객마저 잃게 할 수 있다.

② 고객의 부정적인 경험은 긍정적인 경험보다 더 오래 기억되어 그 영향력이 더욱 커지게 되므로 오랫동안 고객과의 관계 맺음에 실패할 수 있다.

③ 고객의 이탈로 인한 매출 저하를 야기할 수 있다.

(4) 존 굿맨(John Goodman)의 법칙

미국 TARP 사는 정부 자문 기관으로 시작하여 고객 만족에 대해 많은 의미 있는 연구 자료를 발표한 연구 기관으로 그곳의 회장이었던 Goodman이 발표한 '굿맨의 법칙'은 기업들에게 고객 만족의 중요성에 대해 시사하는 바가 크다. 많은 기업들이 '굿맨의 법칙'을 토대로 고객 만족에 관한 경영 혁신을 대대적으로 전개했다는 점에서 이는 서비스 경영의 새로운 장을 열었던 개념이라 할 수 있다.

이 법칙은 고객 불만에 대한 사과와 고객 만족도와의 관계를 의미 있게 설명하고 있다.

① 제1법칙: 불만을 느끼는 고객 중 고충을 제기하고 그 해결에 만족한 고객의 당해 상품 및 서비스의 재구입 결정률은 불만이 있으면서 고충을 제기하지 않은 고객에 비해 매우 높다.

② 제2법칙: 고충 처리에 불만을 품은 고객의 비호의적인 소문은 만족한 고객의 호의적인 소문에 비해 두 배나 강한 영향력을 준다.

③ 제3법칙: 소비자 교육을 받은 고객은 기업에 대한 신뢰도가 높아져 호의적인 소문의 파급 효과가 기대될 뿐만 아니라 상품의 구입 의도가 높아져 시장 확대에 공헌한다.

4) 컴플레인을 하는 고객의 심리

보상의 획득	고객은 반환 요청, 보상 등과 같은 행동을 통해 경제적 손실을 회복하거나 해당 서비스를 다시 제공받을 목적으로 불평한다.
분노의 표출	일부의 고객은 자존심을 회복하기 위해서 또는 자신의 분노와 좌절을 표출하기 위해서 불평한다. 서비스 프로세스가 너무 규정 위주이고 불합리한 경우 또는 서비스 직원이 무례하다고 인식될 경우의 반응 행동이다. 고객은 자존감, 공정성에 대한 부정적 영향을 받은 것에 대해 감정적으로 분노를 표현하고 불평을 제기한다.
서비스 개선에 대한 도움	고객이 특정 서비스에 깊이 관여된 경우 서비스 개선을 위해 자발적으로 기여하고자 적극적인 피드백을 제공하는 목적으로 불평한다.
다른 고객을 위한 배려	다른 고객을 위해 자신의 불만을 제기하는 경우는 같은 문제로 다른 사람들의 피해를 입지 않아야 한다는 생각으로 불평하는 것이다. 문제점을 제기하여 서비스가 개선되면 그에 대해 보람을 느끼게 된다.

2. 컴플레인 해결

1) 컴플레인 해결의 기본 원칙

(1) 피뢰침의 원칙

건물에 있는 피뢰침은 번개를 직접 맞지만 상처를 입지 않을 뿐 아니라 건물까지도 아무런 상처가 없도록 번개를 땅으로 흘려보낸다. 고객이 불만을 제기할 때 역시 나에게 개인적인 감정이 있어서 화를 내는 것이 아니라 일 처리에 대한 불만으로 복잡한 규정과 제도에 대해 항의하는 것이다. 컴플레인 고객을 응대할 시 피뢰침과 같이 직접 불만이 섞인 다양한 내용을 회사나 제도에 반영한 후 본인 또한 상처받지 않아야 한다.

(2) 책임 공감의 원칙

고객의 비난과 불만이 나를 향한 것이 아니라고 하여 고객의 불만족에 대해 전혀 책임이 없다는 말은 아니다. 고객에게는 누가 담당자인지가 중요한 것이 아니라 자신의 문제를 해결해 줄 것인지 아닌지가 중요하기 때문이다.

(3) 감정 통제의 원칙

불만을 흥분하며 표출하는 고객과 맞서 감정적으로 응대하기보다는 고객보다 자신을 통제하여 응대해야 한다.

(4) 언어 절제의 원칙

고객 상담에 있어서 말을 많이 하는 것은 금기다. 고객보다 말을 많이 하는 경우 고객의 입장보다는 자신의 입장을 먼저 생각하게 되기 때문이다. 고객의 말을 많이 들어주는 것만으로 불만에 대한 느낌과 이미지가 어느 정도 해소될 수 있다

(5) 역지사지의 원칙

고객의 입장을 이해하기 위해 고객의 입장에서 문제를 바라볼 필요가 있다.

이러한 관심은 고객에게 전달되어 원만하게 해결될 수 있는 실마리를 제공할 수 있다.

2) 컴플레인 응대요령

(1) MTP기법

M(Man)	응대자 바꾸기 담당직원에서 책임자 실장 등으로 되도록 상급자로 응대자를 바꿔 응대하게 한다.
T(Time)	시간 바꾸기 환자가 진정할 때까지 기다린다. 처음에는 대꾸를 하지 않고 경청만 한다. 환자에게 중간중간 보고를 한다.
P(place)	장소 바꾸기 조용한 장소로 안내하여 따뜻한 음료를 대접함으로써 생각할 수 있는 시간을 갖게 한다. 서 있을 때는 편안한 의자로 안내하여 앉도록 한다.

3) 컴플레인 처리 단계

경청 › 공감 › 사과 › 모색 › 약속 › 처리 › 재사과 › 개선

(1) 1단계: 경청

① 고객 스스로 불평을 모두 말하도록 한다. 잘 듣는 것만으로도 불만의 상당 부분은 해소된다.

② 선입견을 버리고 고객의 입장에서 생각하고 문제를 파악한다.

③ 자신의 의견을 개입시키지 말고 전체적인 사항을 듣는다.

④ 중요사항을 메모한다.

⑤ 고객과 언쟁하지 않도록 하며, 고객의 항의를 겸허하고 공손한 자세로 인내심을 갖고 끝까지 경청한다.

⑥ 부드럽고 완충적 표현을 사용하여 고객의 불만을 신속하게 접수한다.

(2) 2단계 : 공감

① 고객의 컴플레인에 공감함을 적극적으로 표현하고 인정하고 있는 태도를 보

이도록 한다.

② 긍정적인 비언어적 신호를 활용한다.

③ 불만사항에 따라 필요한 경우, 고객에게 일부러 시간을 내서 문제점을 지적하여 해결의 기회를 준 것에 감사의 표시를 한다.

(3) 3단계 : 진심어린 사과

① 고객의 의견을 경청한 후 그 문제점을 인정하고 잘못된 부분에 대해 신속하고 정중히 사과한다.

② 변명은 문제를 더 확대시킬 수 있으므로 고객의 감정적인 부분을 충분히 고려하여 진심어린 사과를 한다.

③ 고객의 잘못이 드러나는 경우는 고객에게 책임을 묻지 말고, 컴플레인 상황이 발생하도록 한 것에 대해 사과를 하고 고객의 입장에서 해결방안을 모색한다.

(4) 4단계 : 해결방안 모색

① 문제해결을 위한 질의응답을 통해 많은 정보를 확보한다.

② 확보한 정보를 통해 원인을 규명한다.

③ 고객의 입장에서 대책을 강구하고, 본인이 해결하기 어려운 경우 담당자를 통해 해결방안을 모색한다.

(5) 5단계 : 해결 약속

① 고객이 납득할 해결 방안을 제시하고, 문제를 시정하기 위해 어떤 조치를 취할 것인지 설명하고 해결을 약속한다.

② 문제 처리 방법을 제시하는데, 고객이 원하는 것이 불가능한 경우 적절한 대안을 강구한다.

③ 고객에게는 누가 담당자인지가 중요한 것이 아니라 고객 자신의 문제를 해결해 줄 수 있는지 아닌지가 중요하다.

④ 해결에 대한 확실한 약속은 고객에게 안정감과 신뢰를 줄 수 있어 불만을 빨리 처리할 수 있다.

(6) 6단계 : 처리

① 잘못된 부분에 대해 일의 우선순위를 세워 신속하고 완벽하게 처리하도록 한다.

228 치과경영관리사 **커뮤니케이션이론**

② 문제해결을 위해 최대한 노력하고 있음을 보인다.

(7) 7단계 : 재사과
① 불만사항을 처리한 후 고객에게 결과를 알리고 만족여부를 확인한다.
② 고객에게 다시 한번 정중하게 사과하며, 감사의 표현을 한다.

(8) 8단계 : 개선 방안을 수립
① 고객 불만 사례를 전 직원에게 알려 공유한다.
② 재발 방지책을 수립하고 새로운 고객 응대 매뉴얼을 작성한다.
③ 컴플레인 이력을 데이터화하고 기록을 통해 관리한다.

3. 컴플레인의 예방

1) 컴플레인 예방을 위한 응대
병원에서 일어나는 대부분의 컴플레인은 사전에 미리 예방할 수 있다.
불편하다고 느끼거나 기분이 나쁠 경우 말로 표현을 해준다면 바로 응대하여 불만을 제거할 수 있겠지만 말로 표현하는 사람보다는 겉으로 드러내지 않고 있는 경우가 더욱 많다.

(1) 고객의 행동을 살펴라, 그리고 반응한다.
① 예상치 못한 행동을 하는 고객을 살핀다.
② 고객에게 다가가서 확인한다.
③ 행동의 원인을 찾아 해결한다.
④ 해결된 내용이 만족스러운지 확인한다

(2) 명령형, 지시형은 부탁하는 말로 바꾼다.
병원에서는 환자들에게 '이렇게 해라, 저렇게 해라'의 지시를 많이 하게 된다.
대기실을 가리키며 "20분 정도 기다리셔야 합니다. 대기실에 앉아 기다리세요.",
진료실로 모실 때 "이쪽으로 오세요."와 같이 안내하는 것을 예로 들 수 있다.
사람들은 모두 지시나 명령을 들으면 부담을 느끼게 되고 개인 기분 상태에 따라서 불쾌함을 느낄 수도 있다. 이러한 부담과 불쾌함은 컴플레인의 가능성을 더욱 부추기게 될 수 있다. 그러므로 존중의 느낌을 주는 다양한 존중화법으로 환자의 기분을 좋게 만들어 준다.

① 선택의 여지를 주는 의뢰형의 말을 사용한다. "진료 받으시겠습니까?"

② 요구사항이 있다면 쿠션화법을 사용한다. "죄송하지만, 지금부터 20분 정도 기다리셔야 할 것 같습니다. 대기실에서 기다려 주시겠습니까?"

③ '부탁'의 말을 사용한다. "접수 카드 작성 부탁드리겠습니다."

(3) 고객을 칭찬해라. 기분 좋으면 불편함을 느낄 수 없다.

누구나 칭찬을 들으면 기분이 좋아진다. 병원을 찾는 환자도 마찬가지이다.

칭찬의 말로 마음의 문을 열어주고 기분이 좋아지면 불편함이 느껴지지 않는다.

① 구체적으로 칭찬한다.

"예쁘시네요(X)" → "스카프 색이 너무 예쁩니다. 오늘 날씨와도 잘 어울리는 것 같아요."

② 치료를 원하는 부분 외 다른 긍정의 부분을 찾는다.

"여드름이 좀 있긴 하지만 피부는 정말 건강합니다."

(4) 고객을 기억해라. 친한 사람에게는 화내지 않는다.

병원을 찾는 고객들에게 어떠한 서비스를 받고 싶은지에 대하여 설문조사를 했다. 1위는 당연히 '나에 대한 존중과 관심'이었다.

일주일에 한 두번씩 두 달 이상을 꾸준히 내원 중인 환자라면 당연히 나에 대한 존재를 알고 있을 것이라 기대한다. 그 기대에 관심을 갖고 표현을 하자.

① 고객의 이름을 많이 불러준다.

예:(전화로) "어제 치료했던 OOO입니다."

"아, OOO님! 안녕하세요!"

② 관심 표현을 한다.

고객의 이름을 모두 외우지 않는 한 접수 전에 환자의 이름을 알기는 어렵다.

이름을 모르는 경우라면 이름 대신 관심 표현을 한다.

관심 표현은 스몰 토크가 되어 기분 좋은 대화의 시작이 될 수도 있다.

예: "오늘 날이 너무 춥지요? 오시는데 불편하지 않으셨어요?"

③ 고객을 기억한다.

차트에 메모를 남겨놓는다면 고객을 모두 외우고 기억하지 않아도 참고할 수 있다.

- 외모적 특징
- 자주 내원하는 시간
- 장점, 칭찬했던 내용
- 직업이나 취미
- 모든 마무리는 환자의 상태와 만족도 확인이다.

고객에게 치료나 상태에 대한 만족도를 확인하는 과정은 필수이다. 이를 통해 남아있을지 모르는 불만과 불평을 확인할 수도 있다.

예: 진료나 상담 후, 전화 응대 마무리에서

"더 궁금하신 부분이 있으신가요?

2) 컴플레인 예방하는 바꿔 말하는 습관

(1) "안됩니다." → "제가 할 수 있는 일은…"

고객의 요구에 대해 불가피하게 "안됩니다."라고 말해야 할 때가 있다. 아무런 선택도 대안도 제시되어 있지 않은 "안됩니다."를 사용하기보다는 고객을 위해 무엇을 할 수 있는지에 초점을 맞춘다. "제가 할 수 있는 일은…"과 같이 말을 시작한다면 고객은 당신이 해결하기 위해 애쓰고 있음을 알게 된다.

(2) "그건 제 소관이 아닙니다!" → "이 일을 해결할 수 있는 사람은…"

고객으로부터 무언가 요구를 받았지만, 자신이 그 일을 이행할 권한이나 지식을 갖고 있지 못한 경우 기꺼이 중개인이 되어 그 문제의 해결을 지원할 만한 사람이나 부서로 고객을 안내하여 해결을 도와야 한다.

(3) "맞습니다, 이건 정말 심하군요." → "당신의 실망감을 충분히 이해합니다."

어떤 고객이 다른 직원에 대해 불쾌감을 표시하는 경우 그의 말에 섣불리 동조하여 문제를 악화시켜서는 안 된다. "당신이 맞습니다. 이건 정말 심하군요."라는 투의 말로 동조하는 대신 "얼마나 실망했는지 충분히 이해하겠습니다."라는 식으로 감정을 이해하려는 표현을 사용한다. 감정의 이해는 고객의 주장에 대한 동의 여부와 관계없이 염려와 관심을 표시하는 것이다. 말에 대한 동조는 자칫 누워서 침 뱉는 격이 된다.

(4) "그건 원장님과 이야기해보셔야 해요." → "제가 도와드릴 수 있는 것은…"

고객들은 병원의 정책이나 절차에서 벗어나 있는 무언가를 요구하곤 한다. 이런 경우에는 그들을 빨리 자신의 관리자에게 인계하고 싶은 충동이 든다. 그러나 먼저 내가 그들을 위해 무엇을 할 수 있는지에 초점을 맞추어야 한다. 만일 관리자가 관계해야 할 필요가 있다면 기꺼이 찾아가 해결책을 찾아서 고객에게 돌아가야 한다.

➕ 더 알아보기

[감정계좌 관리하기]

감정계좌란 인간관계에서 구축하는 신뢰의 정도를 은유적으로 표현한 것으로써 우리가 다른 사람에 대해 가지는 안정감을 뜻한다. 만약 우리가 다른 사람에 대해 공손하고 친절하며 정직하고 약속을 지킨다면 우리는 감정을 저축하는 셈이다. 그러면 그 사람이 우리에 대해 갖는 신뢰가 높아지기 때문에 우리는 필요할 때마다 그러한 신뢰에 의지할 수 있다. 설령 우리가 실수를 한다 해도 감정 잔고인 신뢰 수준이 높기 때문에 그 신뢰를 상쇄할 수 있다. 신뢰가 높은 경우 커뮤니케이션이 분명치 않아도 상대방은 우리가 전달하는 의미를 알아채고 '말 때문에 화를 내지는' 않을 것이다. 이처럼 신뢰의 정도가 높아지는 것을 가리켜 감정 잔고가 예입되었다고 표현할 수 있다.

환자 응대가 잘되면 컴플레인 환자가 준다는 말이 있다.
이미 쌓인 환자와의 감정계좌로 인해 한 번의 실망을 주어도, 마이너스 통장으로 바뀌지 않기 때문이다. 환자를 보며 항상 생각해야 할 부분은 내가 지금 이 환자와 마이너스 계좌는 아닌지, 점차 많이 쌓이고 있는지를 염두해 두어야 한다라는 부분이다. 직원 한 명과 환자 한 명도 마찬가지지만, 병원 전체와 환자도 마찬가지이다. 우리 병원 전체가 그 환자에게 감정계좌가 잘 쌓아지고 있는지, 놓치는 부분들은 없는지 각 고객 접점마다 관심을 기울인다면 컴플레인 예방에 도움이 될 수 있다.

01 컴플레인 해결을 위한 기본 원칙 중 피뢰침의 원칙에 대한 설명은?

① 고객과 맞서 감정적으로 응대하기보다는 자신을 통제하여 응대해야 한다.
② 고객은 나에게 개인적인 감정이 있어서 화를 내는 것이 아니라고 여기는 것이다.
③ 고객보다 말을 많이 하지 않도록 주의한다.
④ 고객의 입장을 이해하기 위해 고객의 입장에서 문제를 바라본다.

정답 2

① 감정 통제의 원칙 ③ 언어 절제의 원칙 ④ 역지사지의 원칙

02 컴플레인의 처리의 1단계는?

① 공감
② 경청
③ 사과
④ 약속

정답 2

컴플레인 처리단계: 경청 → 공감 → 사과 → 모색 → 약속 → 처리 → 재사 → 개선

03 다음 중 컴플레인 발생 원인 중 기업 측 문제가 아닌 것은?

① 무성의한 응대 서비스
② 불충분한 고객안내
③ 병원의 규정만을 준수하려는 행동
④ 우월감과 보상심리

정답 4

우월감과 보상심리는 고객 측 문제에 해당된다.

04 존 굿맨의 법칙에 대한 설명 중 옳지 <u>않은</u> 것은?

① 고객 불만에 대한 사과와 고객 만족도와의 관계를 의미 있게 설명하는 개념이다.

② 소비자 교육을 받은 고객은 호의적인 소문의 파급효과를 기대할 수 있다.

③ 고충 처리에 불만을 품은 고객의 비호의적인 소문은 만족한 고객의 호의적인 소문보다는 영향력이 약하다.

④ 많은 기업들이 이 법칙을 토대로 고객 만족에 관현 경영혁신을 전개했다.

정답 **3**

고충 처리에 불만을 품은 고객의 비호의적인 소문은 만족한 고객의 호의적인 소문에 비해 두 배나 강한 영향력이 있다.

CHAPTER

9

내부고객(직원)
커뮤니케이션

Dental Management Officer

내부고객(직원) 커뮤니케이션

Dental Management Officer

09

1. 조직 커뮤니케이션의 이해

1) 정의

(1) 조직이란 '두 사람 이상이 모여 공통의 목적을 달성하기 위해 상호 작용하는 사회적 단위'이다.

(2) 조직 내의 상호작용은 커뮤니케이션을 통해 이루어지며, 조직에서의 커뮤니케이션이란 상호 이해에 도달하기 위해 어떠한 집단, 조직, 또는 사회의 사람들이 정보를 생산하고 공유하여 공동의 목표를 추구할 수 있게 하는 모든 과정을 말한다.

(3) 즉, 개인이나 집단의 가장 기초적인 기반이자 성과를 결정하는 핵심 수단으로 사회에서 필수 요소이다.

2) 중요성

(1) 행동통제

구성원이 따라야 하는 권한 계층과 공식적인 지침에 대한 커뮤니케이션은 구성원들의 행동을 특정한 방향으로 움직이도록 통제해준다.

(2) 동기 유발

구성원이 해야 할 일과 평가 그리고 직무 성과를 개선하기 위해 해야만 하는 일 등을 구체적으로 알려 주는 매개체 역할을 하는 것이다.

(3) 감정 표현과 사회적 욕구 충족의 표출

커뮤니케이션을 통하여 자신의 감정을 표출하고 다른 사람들과의 교류를 넓혀 나가는 것이다.

(4) 정보 전달

개인과 집단에 정보를 전달해 주는 기능을 함으로써 의사 결정의 촉매제 역할을 한다.

(5) 효율적 업무 수행

조직 구성원이 창의적이고 신속하게 업무를 수행할 수 있도록 활력을 불어넣어 준다.

(6) 상황 적응력 향상

구성원들이 변화된 상황에 적응하고 나아가 조직 혁신을 촉진하는 기능을 한다.

3) 조직커뮤니케이션 유형

(1) 공식적 커뮤니케이션

조직 구성원 간의 공식적 관계를 전제로 하여 커뮤니케이션의 권한과 절차가 분명한 상태에서 이루어지는 커뮤니케이션으로 결재, 문서 전달, 공식 회의, 보고 등의 과정에서 나타나는 커뮤니케이션

하향적 커뮤니케이션	조직의 위계나 명령에 따라 상급자로부터 하급자에게 전달되는 명령이나 지시를 포함하는 커뮤니케이션이다.
상향적 커뮤니케이션	하급자의 성과나 의견, 태도 등을 상위로 전달하는 과정으로서 조직 내의 쌍방적 커뮤니케이션을 가능하게 한다. 상사의 질책을 피하고 기분을 맞춰 주기 위하여 좋지 않은 소식이나 반대 의견을 걸러내 전달하지 않으려는 선택적 여과 현상이 나타나기 쉽다.
수평적 커뮤니케이션	조직 내에서의 위계 수준이 같은 구성원이나 부서 간의 커뮤니케이션을 의미하는 것으로서, 상호작용적 커뮤니케이션이다.

(2) 비공식적 커뮤니케이션

① 직무 이외의 개인적, 사회적 친분으로서 조직 구성원의 욕구에 따라 자발적으로 이루어지는 커뮤니케이션이다. 비공식적 커뮤니케이션 체계를 지칭하는 말로 '그레이프바인(Grapevine)'이라는 용어를 흔히 사용

② 우리말로 포도 덩굴이라는 뜻으로 부정적인 의미를 함축하고 있다. 포도 덩굴처럼 복잡한 인간관계 속에서 사람들 사이의 의사소통은 때로 왜곡되거나 사실과 다른 유언비어들이 나돌 수 있다. 그래서 소문, 구전, 풍문 등의 뜻으로

도 사용된다.

③ 공식적 커뮤니케이션과 상호 보완적으로 작용하며, 전달 속도가 빨라서 긍정적인 의사 전달의 경우에 조직에 긍정적인 측면으로 활용 가능하다.

④ 정보 전달이 선택적이고 임의적으로 진행되어 정확성이 떨어져 의도와 다르게 정보가 전달될 수 있다.

4) 조직커뮤니케이션 형태

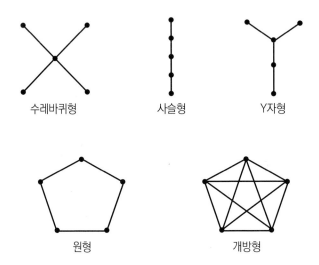

(1) 수레바퀴형

정보의 전달과 의사결정이 신속하여, 실생활에 적합하지만, 복잡하고 많은 정보가 필요한 의사결정에는 적합하지 않다. 리더가 잘못 결정하게 되면, 오류가 일어날 수 있어 신중한 의사결정에는 바퀴형이 맞지 않다. 가운데 사람이 커뮤니케이션의 중심인물이며 다른 구성원은 중심인물과만 커뮤니케이션이 가능하다. 이는 집단 내에 특정한 리더가 있을 때 발생한다. 특정의 리더에 의해서 모든 정보의 전달이 이루어지기 때문에 정보가 특정 리더에게 집중되는 현상을 보인다.

(2) 사슬/연쇄형

연쇄형에서는 커뮤니케이션이 위, 아래로만 이루어지며, 공식적인 계통과 수직적인 경로를 통해서 의사(정보)전달이 이루어지는 형태이다. 그러므로 명령과 권한의 체계가 명확한 공식적인 조직에서 사용되는 커뮤니케이션 네트워크이다. 일

원화되어 있는 계통을 통해서 최고경영자의 의사가 말단 일선 작업자에게까지 전달되며 그 반대의 경우도 똑같은 명령사슬을 통하게 된다. 관료적 조직이나 공식화가 진행된 조직에서 이러한 네트워크 형태를 쉽게 발견할 수 있으며 사슬이 길수록 정보왜곡의 가능성은 커진다.

(3) Y형

Y형은 연쇄형과 바퀴형이 혼합된 네트워크이다. 연쇄형과 같이 연속적 커뮤니케이션과 바퀴형의 중심인물 중심으로 커뮤니케이션이 이루어진다. 이 형태는 수레바퀴형에서 와는 달리 집단 내에 특정의 리더가 있는 것은 아니지만, 비교적 집단을 대표할 수 있는 인물이 있는 경우에 나타난다. 즉 서로 다른 집단에 속한 사람들 간의 커뮤니케이션에 있어 조정역을 필요로 할 때 사용될 수 있다.

(4) 원형

구성원 간의 상호작용이 집중되어 있지 않고 널리 분산되어 있는 커뮤니케이션 네트워크이다. 그러므로 커뮤니케이션의 의사전달속도가 느리다. 자신의 정보가 모두 전달되며, 어느 정도 피드백까지 받기 때문에 만족감이 높다. 권력의 집중도 없고, 지위의 높낮이가 없는 조직에서 특정 문제해결을 위해 나타난다. 문제해결 과정이 상당히 민주적이라고 할 수는 있지만 집단사고의 문제점이나, 차선의 결정을 내릴 위험도 있다.

(5) 개방/스타형/전채널형

포도넝쿨(grapevine)과 같은 비공식적 커뮤니케이션 네트워크에 해당한다. 사슬형보다는 정보전달이 느리지만, 원형이나 바퀴형보다는 빠르다. 이 유형에서는 공식적 및 비공식적 리더가 없이 구성원 누구나 커뮤니케이션을 할 수 있는 유형이다. 이는 위에서 말한 비공식적인 커뮤니케이션 방법으로서 구성원 정체가 서로의 의견이나 정보를 자유의지에 따라 교환하는 형태이다. 이 형태는 오늘날 조직에서 많이 나타나고 있는 형태이다. 일정한 규칙 없이 자유롭게 의견교환이 이루어지다 보면 창의적이고 참신한 아이디어 산출이 가능해진다.

CHAPTER 1
CHAPTER 2
CHAPTER 3
CHAPTER 4
CHAPTER 5
CHAPTER 6
CHAPTER 7
CHAPTER 8
CHAPTER 9

5) 조직 커뮤니케이션의 장애요인

정보의 과다	수신자의 능력을 초과하는 메시지의 양은 정보의 과다를 초래하여 커뮤니케이션의 장애가 된다.
메시지 복잡성	송신자가 관리자인 경우, 그는 메시지를 개인적으로 그리고 조직의 대표자로 커뮤니케이션을 하게 되므로, 수신자는 송신자가 어떤 입장에서 메시지를 보내는지를 알기가 어려워 장애가 된다.
메시지의 경쟁	수신자는 흔히 두 가지 이상의 경쟁을 요하는 메시지를 받는다. 예컨대 보고서를 검토하면서 전화를 받는 경우이다. 이때 주의가 산만함으로 인해 커뮤니케이션은 성공적으로 이루어질 수 없게 된다.
상이한 직위와 과업지향성	사람들은 직위를 달리하거나 과업의 책임을 다르게 하는 조직 내, 외의 다른 사람들과 커뮤니케이션 하기를 회피하는 경향이 있는데, 이와 같은 성향이 커뮤니케이션의 장애를 일으킨다.
신뢰의 부족	신뢰는 커뮤니케이션의 결정적인 구성요소이기 때문에 신뢰의 부족과 불신은 커뮤니케이션의 절대적인 장애요인이 된다.
커뮤니케이션을 위한 구조상의 권한	조직 내 커뮤니케이션은 누가 누구에게, 그리고 누가 의사결정의 권한을 갖고 있는가 등의 공식적인 제한에 따라 영향을 받고 있으므로, 조직구조가 어떻게 되어 있는가에 따라서는 커뮤니케이션의 장애요인이 될 수도 있다.
잘못된 매체의 선택	모든 매체가 주어진 커뮤니케이션 상황에 적합한 것이 아니므로, 매체의 선택을 잘못하면 메시지가 곡해되어 결과적으로 의도한 의미가 효과적으로 전달될 수 없다.
폐쇄된 커뮤니케이션의 분위기	개방적, 긍정적, 비위협적인 분위기는 커뮤니케이션의 효과를 증대시킬 수 있고 그렇지 못한 분위기는 커뮤니케이션의 장애가 된다.

6) 조직 커뮤니케이션 활성화 방안

공동 목표 제시	• 과도한 내부 경쟁은 조직에 대한 충성심, 팀워크, 지식 공유를 저해한다. • 협력을 위해서는 조직 구성원이 동등한 위치에서 토의와 논쟁을 자유롭게 할 수 있는 건설적 대립 문화를 구축하는 것이 필요하다.
핵심 메시지로 승부	• 핵심 메시지는 반복적으로 강조하고 구성원들이 충분히 인지하며 공감할 수 있도록 구체적인 사례를 제시한다. • 구성원들이 조직 내부의 소식을 왜곡된 소문을 통해 듣기 전에 가능한 빨리 관련 정보를 전달한다. 특히 나쁜 소식일수록 솔직하게 전달하는 것이 필요하다.
긍정적/부정적 피드백의 활용	• 커뮤니케이션 형태에 대한 연구 결과 긍정적 발언과 부정적 발언의 적절한 비율이 5.6:1인 것으로 나타났다. 따라서 긍정적 피드백과 부정적 피드백을 적절한 비율로 조합하는 것이 필요하다. • 부정적인 피드백을 해야 할 때에는 '당신은 무능해'라는 평가적 발언이 아니라 사실에 기초한 의사소통을 하는 것이 중요하다. 즉 사람을 직접 비판하거나 공격하지 말고 문제 자체에 집중한다.
경청 후 판단	• 경청이 무엇보다 중요하며, 다양한 소리를 경청하지 않는 것은 최대 실수이다. • 구성원의 다소 엉뚱한 제안이나 아이디어도 끝까지 경청하고 난 후 판단한다.
칭찬과 격려	• 거친 말, 질책 위주의 회의 등의 공포 분위기 조성은 실제 문제를 숨기고 허위 보고를 하는 등 구성원들의 방어적인 태도를 야기하게 된다. • 구성원들은 리더의 영향을 받아 비슷한 감정을 가지게 되는 경향이 있다. 리더의 말뿐만 아니라 얼굴 표정, 감정 표현, 작은 행동의 변화에도 민감하게 반응하기 때문에 칭찬과 격려로 긍정적인 감성을 전파시키는 것이 중요하다.

2. 리더십

1) 리더십 개념

리더(Leader)라는 용어는 1300년대부터 사용되었으나, '리더의 능력'을 나타내는 리더십은 19세기 초반까지도 그 정의가 제대로 이루어지지 않았으며 아직까지도 여러 학자에 의해 다양하게 정의되고 있다.

리더십은 리더의 특성, 행동, 영향력, 상호작용 패턴, 역할 관계 측면에서 정의되어 왔다. 이러한 정의는 인간의 사회적 특성인 집단의 형성 및 집단 간 관계에 바탕을 둔 결과이다. 다수의 개인이 모여 이루어진 집단에서는 개인 간의 상호작용과 협동 없이 목적을 효율적으로 달성할 수 없으므로 구성원을 일정한 방향으로 이끌어 성과를 창출할 수 있는 리더가 필수적이다.

2) 리더십의 영향력

(1) 구성원에게 목표 달성에 기여할 수 있는 동기를 부여하고 구성원의 사기를 높이며 업무에 몰입할 수 있는 여건 조성을 돕는다.

(2) 구성원의 개인 역량을 강화하도록 촉진한다. 리더는 구성원을 유능한 인재로 성장시키기 위해 리더십의 일환인 멘토링, 코칭을 활용하여 사회화 과정을 돕는다.

(3) 개개인의 역량을 결집하여 집단 역량의 크기와 효과가 개인 역량의 산술적인 합 이상이 되도록 도와주며 집단 성과는 물론 조직 전체 성과를 향상시킨다.

(4) 외부환경 변화에 대한 조직 적응력을 높여 조직 발전을 위한 변화 주도를 돕는다.

3) 감성지능

효율적인 리더들은 한 가지 중요한 부분에서 공통점을 가지고 있다. 그들은 '감성지능(Emotional Intelligence)'이라고 불리는 능력이 높은 수준에 도달해 있다.

(1) 정의

① 감성 지능은 감정 정보 처리 능력으로, 자신과 타인의 감정을 정확하게 지각/인식하고 적절하게 표현하는 능력을 통해 삶을 향상시키는 방법이다.

② 감정을 효과적으로 조절하는 능력, 즉 동기를 부여하고 계획을 수립하여 목표를 성취하기 위하여 감정들을 이용해 자신의 행동을 이끄는 능력을 의미한다.

(2) 등장 배경

① 지식 정보화 사회에서는 구성원들이 능동적으로 조직 업무에 임할 수 있고, 높은 조직 성과를 기대할 수 있는 상호 존중/신뢰하는 조직을 선호하게 되면서 감성 지능의 중요성이 대두되었다.

② 21세기의 사회는 삶의 질이 중요한 가치로 두고 있기 때문에 주관적이고 비전이 있는 자세, 창조적, 직관적인 행동을 유발하는 감성 지능이 절실히 필요하게 되었다.

(3) 감성 지능의 구성요소

자기 인식	• 자신의 강점과 약점을 아는 것 • 자신에게 동기를 부여하는 것이 무엇인지, 자신의 가치체계는 어떻게 되어있는지, 다른 사람에게 내가 어떤 영향을 끼칠 수 있는지 아는 것 • 특징 – 감성적 자기인식: 자신의 감정을 정확히 이해하고 이러한 감정이 업무 성과와 인간관계 등에 미치는 영향을 인지할 수 있는 역량 – 정확한 자기평가: 자신의 강점과 한계를 현실적으로 평가할 수 있는 역량 – 자기 확신: 자기 자신에 대한 강하고 긍정적인 자아존중의식
자기 규제	• 방해가 되는 충동이나 분위기를 조정하거나 다른 쪽으로 돌리는 능력 • 특징 – 자기통제: 혼란스러운 감정과 충동을 통제하는 역량 – 신뢰성: 꾸준한 정직함과 진정성을 보여주는 것 – 성실성: 자기관리는 물론 맡은 바 책임을 다하려는 능력 – 적응력: 상황의 변화에 적응하고 도전을 극복하기 위해 유연하게 대처하는 역량 – 성취지향성: 높은 내부 목표 기준을 달성하고자 하는 의미 – 적극성: 기회를 주도적으로 쟁취하려는 진취적인 태도
동기 부여	• 스스로의 기준에 맞춰 성과를 즐기는 것 • 특징: 일 자체와 새로운 도전 과제에 대한 열정, 지치지 않는 에너지를 가지고 나아가기 위해 노력, 실패를 낙관적으로 받아들임
공감 능력	• 다른 사람들의 감정 상태를 이해하는 능력 • 특징: 다른 사람들을 발전시켜 주는 능력이 있음, 상호 다른 문화 간의 차이를 잘 이해함
사교능력	• 다른 사람들을 원하는 방향으로 이끌기 위해 좋은 관계를 쌓아 가는 것 • 특징: 변화를 이끌어내는데 유능함, 설득력이 있음, 넓은 네트워크를 통해 팀을 만들고 이끌어 나감

4) 리더십 스타일

리더십에는 각기 다른 감성지능 요소를 지닌 여섯 가지 뚜렷한 스타일이 있다. 각 리더십 스타일은 기업 전체나 사업부문, 팀 단위의 근무환경에 직접적이고 고유한 영향을 미치며 기업의 재무성과에도 영향을 준다. 최고의 성과를 창출하는 리더의 경우, 한가지 리더십 유형에 의존하지 않고 비즈니스 환경과 상황에 따라 다양한 리더십 스타일을 유연하게 구사한다.

	리더의 업무 방식	한마디로 하면	관련 감성지능	가장 효과적인 상황	업무 분위기에 미치는 전반적인 영향
지시형	지시사항에 대한 즉각적인 이행을 요구함	"내가 시키는 대로 해"	성취지향성 적극성 자기통제	• 위기 상황에서 턴어라운드 시작할 때 • 문제 직원을 다룰 때	부정적
비전형	비전을 향해 사람들이 움직이게 함	"나와 함께 갑시다"	자기확신 공감 변화 기폭제	• 변화로 인해 새로운 비전이 필요할 때 • 명확한 방향성이 필요할 때	대부분 매우 긍정적
친화형	정서적 유대감을 형성하고 화합을 이룸	"사람이 우선입니다"	공감 유대감 형성 커뮤니케이션	• 스트레스가 많은 상황에서 직원들을 위로하고 격려할 때	긍정적
민주형	참여를 통해 합의를 이룸	"어떻게 생각하나요?"	협력 팀 리더십 커뮤니케이션	• 동의나 합의를 얻어야 할 때 • 유능한 직원에게 의견을 구할 때	긍정적
모범형	성과에 대한 높은 목표를 설정	"내가 하는 그대로 따라하세요"	성실성 성취지향성 적극성	• 의욕이 높은 유능한 직원으로 구성된 팀을 이끌면서 결과를 빨리 얻고자 할 때	부정적
코칭형	미래를 위한 직원 육성	"이렇게 해보세요."	직원 육성 공감 자기인식	• 직원의 실적개선을 돕고 장기적인 강점 개발할 때	긍정적

5) 유능한 리더가 되기 위해 버려야 할 습관

(1) 파괴적 언사

불필요하게 상대방을 조롱하거나 빈정대는 파괴적인 말투

(2) 정보 독점

다른 이들에게 영향력을 행사하기 위해 정보를 혼자만 독점하고 공유하지 않으려고 한다.

(3) 화가 난 상태에서 말하는 행위

사람을 관리하는 도구로서 감정적 언사를 사용하면 득보다 해가 더 크다. 자신의 감정을 조절한 후 말을 시작하라.

(4) 인색한 칭찬
인정과 칭찬이 사람을 고무시키고 일에 대한 열정을 배가시킨다.

(5) '아니오', 혹은 '그러나'등 부정적인 뜻의 언어 남발
부정적으로 말하면 '당신은 틀리고 내가 맞다.'라는 의미로 전달되어 상대방으로 하여려금 반발심을 불러일으킬 수 있다.

(6) 불필요한 변명
자신의 잘못에 대해 끊임없이 변명하는 태도는 지양해야 한다.

(7) 과거에의 집착

(8) 감사할 줄 모르는 태도

(9) 남의 말에 귀 기울이지 않는 태도

(10) 항상 이기려는 태도

6) 유능한 리더가 되기 위한 실천사항
(1) '지금 무엇을 해야할 지?'라고 질문한다
일단 해야 하는 일이 무엇인지를 알게 되면 그것을 최대한 분석하며 한 번에 한 가지에만 집중해야 한다. 한 과업을 끝내면 새로운 상황에 맞춰 우선순위를 조정해야 한다.

(2) '회사를 위해 좋은 것은 무엇이지?'라고 질문한다.
오너나 직원, 고객에게 좋은 일을 하려고 고민하지 마라. 회사에게 좋은 결정은 궁극적으로 모든 이해 당사자에게 옳은 일이 된다.

(3) 구체적인 실행계획을 세운다.

원하는 결과와 제약조건을 구체적으로 명시한 계획을 세워라. 어떤 행동이 회사의 가치나 정책에 부합하는지를 생각하라. 또한 중요한 점검 사항과 시간 배분 계획도 포함시켜라. 새로운 기회가 생길 때마다 이 계획을 고쳐야 한다.

(4) 결정에 따른 책임을 진다.

모든 결정마다 이를 수행할 책임이 있는 사람과 언제까지 실행되어야 하는지 누가 영향을 받는지 누가 이를 알고 있어야 하는지를 확실히 해야 한다. 주기적으로 결정을 검토해야 한다.

(5) 의사소통에 대한 책임을 진다.

당신의 행동계획에 대해 상사와 부하직원 동료직원들로부터 의견을 구하라. 업무가 진행되기 위해 당신이 어떤 정보가 필요한지 그들에게 말해주라. 동료직원이나 상사가 필요로 하는 정보에 대해서도 동일한 관심을 가져라.

(6) '문제'보다는 '기회'에 더 집중한다.

성과는 문제를 해결하는 것이 아니라 기회를 살릴 때 나온다. 새로운 기술, 제품 혁신 등 중대한 변화를 회사 내부와 외부에서 분석해 '이런 변화로 회사에 어떤 이득을 줄 수 있을지'에 대하여 생각하라.

(7) 생산적인 회의를 한다.

각 회의의 목적을 명확하게 하라. 목적이 달성되면 회의를 끝내라. 토론이 끝나면 간단하게 내용을 요약해 공유하고 새로운 후속조치가 무엇인지 그에 대한 마감이 언제인지를 정해야 한다.

(8) '나'라고 생각하고 말하기보다 '우리'라고 생각하고 말한다.

당신의 권위는 조직이 당신을 신뢰하는 것에서 나온다. 최고의 성과를 얻기 위해 당신이 필요한 것과 당신에게 주어지는 기회를 찾지 말고 조직의 입장에서 생각하라.

╋ 더 알아보기

직원의 자존감과 팀 시너지는 비례한다.

치과에서 강력하게 인정받고 신뢰한다는 느낌을 갖는 직원과 그렇지 않은 직원의 태도에서 많은 차이가 발생한다. 인정받은 직원의 경우 자존감이 충만한 상태로 환자를 맞이한다. 스스로 긍정적인 에너지를 내보이고 일하는 치과에 대한 애정이 환자응대에서도 자연스레 배어 나온다.

3. 동기부여를 위한 커뮤니케이션

1) 조직 구성원의 역량 개발을 위한 리더 역할

(1) 교사

업무 수행에 필요한 핵심기술과 구체적인 전문 지식을 알려준다. 또한 조직 생활에 필요한 책임감 목표의식 자기관리 등의 교육을 병행해준다.

(2) 후원자

든든한 응원군이 되어야 한다. 구성원이 설정한 목표에 도달할 수 있도록 물심양면의 지원을 해야 한다.

(3) 조언자

멘토, 즉 카운슬러 역할을 수행한다. 관심 있게 지켜보고 문제 발생에 대한 해결방법을 제시하고 챙겨주는 역할을 한다.

(4) 평가자

정확한 평가를 통해 구성원의 역량과 장단점을 파악해야 한다. 그리고 그에 따른 조언과 코칭이 뒤따라야 한다.

(5) 역할 모델

구성원들은 상사의 행동과 말을 은연 중에 배우고 따라 하게 된다. 따라서 말과 행동이 일치하도록 늘 조심해야 한다.

2) 동기부여 5단계 화법

(1) 1단계: 잘하고 있는 점을 자세히 말한다.

긍정적인 피드백의 기회를 찾아서 적당한 시점에 솔직하게 이야기한다. 자세히 설명할수록 상대방은 자신이 무엇을 잘했는지 알게 되어 자신감도 붙고 리더가 자신에게 관심을 갖고 있다는 것을 알게 되어 적극적인 자세가 된다.

(2) 2단계: 지금 하고 있는 일이 왜 중요한지 의미를 자세히 설명하는 것이다.

회사 또는 팀에 기여하는 측면을 구체적으로 알려준다. 내가 하고 있는 일이 정말 중요하구나 라는 자부심과 책임감을 느끼게 된다.

(3) 3단계: 감정과 기분을 솔직하게 이야기한다.

"나는-"으로 시작하는 문장으로 말을 하고, 감정을 나타내는 단어를 같이 사용해주면 사실과 감정을 모두 전달할 수 있다. 기분을 이야기해서 상대방의 감정에 좋은 이미지를 그려 넣음으로써 강한 동기부여가 가능하다.

(4) 4단계: 구성원의 능력을 신뢰하고 있음을 수시로 이야기한다.

현재의 일을 처리하는 능력뿐만 아니라 다른 일까지도 잘할 수 있는 능력을 신뢰하고 있다고 말한다.

(5) 5단계: 감사의 표현

작은 것에도 감사한 마음을 적극적으로 표현하는 것만으로도 확실한 동기부여가 될 수 있다.

4. 피드백 커뮤니케이션

1) 피드백이란

전달받게 되는 평가나 결과들을 기준으로 더 나은 상황과 결과를 만들어내기 위한 '성장에 도움이 되는 말'들을 피드백이라고 보면 된다. 코칭(coaching)더하기 티칭(teaching)이 피드백이라고 할 수 있다.

2) 피드백의 특징

피드백은 질문이나 경청과 달리 보다 구체적으로 실천을 유도하는 커뮤니케이션이다. 피드백을 통해 업무의 진행속도가 빨라짐은 물론 역량이나 효율성을 향상시킬 수 있다. 피드백은 있는 사실을 근거로 하기 때문에 구체적이고 명확한 커뮤니케이션이라고 할 수 있다.

3) 효과적인 피드백 방법

(1) 피드백하기 전 체크사항

① 나이 혹은 직급 무관 상대방을 존중하는 언행으로 임한다.

② 되도록 독립된 공간이나 사람들이 없는 곳에서 한다.

③ 가벼운 스몰 토크로 분위기를 편안하게 만들어 상대의 긴장도를 완화시켜 준다.

(2) 효과적인 피드백 방법

① 스몰 토크 이후 본론으로 들어갈 때는 진중한 분위기 전환이 필요하다.

② 핵심 본론을 앞두고 어설픈 상대방 칭찬이나 돌려 말하기 식은 피한다.

③ 상대방의 이야기를 잘 들어준 후, 반론이나 변명에 대한 나(조직)의 의견과 주장을 전달한다.

④ 주관적인 생각이 아닌 객관적인 사실을 중심으로 전달한다.

⑤ 현재의 상황과 목표 사이의 차이를 전달하고 현 문제를 인식시켜야 한다.

⑥ 명확한 전달을 위해 추상적인 말보다는 논리적이고 구체적인 말로 전달한다.

⑦ 개선책이나 목표 설정 등을 일방적으로 밀어붙이지 않는다.

⑧ 무시하거나 수직적으로 가르치는 듯한 어조는 절대 도움이 되지 않는다.

⑨ 적절한 언어와 행동반응(리액션)을 보여준다.

(3) 좋은 피드백이란

좋은 피드백은 일상적이지 않고 상황의 문제점을 함께 공유해 바람직한 방향으로 나아갈 수 있게 목표 설정 및 동기부여를 해주는 것이다. 또한 피드백을 받은 상대의 행동에 변화가 나타나야 하고 이 변화로 인해 긍정적인 변화와 결과가 이어져야 한다.

① 좋은 피드백은 객관적이고 분석적이다.

② 객관적이기 위해서는 관찰이 중요하다.

③ 관찰은 관심에서 비롯된다.

④ 관찰을 통해 얻는 기본 정보를 구체적으로 기록하여 제공한다.

⑤ 문제가 커지기 전에 즉각적으로 피드백한다.

⑥ 객관적이고 사실적인 상황과 문제만 평가하고 전달한다.

⑦ 상황에 맞는 개별 피드백과 조직 피드백을 준비한다.

⑧ 향상이나 개선사항을 일방적으로 지시하듯 전달하지 않는다.

⑨ 부정적인 감정은 자제한다.

⑩ 이유(변명)를 들어주고 상대방 관점에서 이해하려 노력한다.

⑪ 피드백보다 신뢰가 우선이다(업무역량과 인품, 인성의 신뢰).

⑫ 피드백은 비난, 지적, 참견이 아니다.

⑬ 가르치려 들지 말자. 피드백은 쌍방향 커뮤니케이션이다.

⑭ 통하는 피드백을 하고 싶다면 평소 나의 신뢰도를 높여야 한다.

⑮ 동기부여, 문제해결, 목표설정이 명확해지고 행동의 변화가 나타나야 한다.

01 조직 커뮤니케이션의 중요성에 대한 설명으로 옳지 <u>않은</u> 것은?

① 구성원의 행동에 자율성을 부여한다.
② 동기유발의 역할을 한다.
③ 자신의 감정을 표출하고 다른 사람과 교류를 넓힌다.
④ 상황 적응력의 향상으로 조직 혁신을 촉진한다.

정답 1

구성원이 따라야 하는 권한 계층과 공식적인 지침에 대한 커뮤니케이션은 구성원들의 행동을 특정한 방향으로 움직이도록 통제해준다.

02 조직 커뮤니케이션의 형태 중 정보의 전달과 의사결정이 신속하지만 복잡하고 많은 정보가 필요한 의사결정에는 적합하지 않은 커뮤니케이션 형태는?

① 연쇄형
② 수레바퀴형
③ Y형
④ 원형

정답 2

03 다음이 설명하는 감성 지능의 구성 요소는?

스스로의 기준에 맞춰 성과를 즐기는 것, 실패를 낙관적으로 받아들임

① 자기 규제
② 동기 부여
③ 자기 인식
④ 감정 이입

정답 2

04 유능한 리더가 되기 위한 실천사항으로 옳지 <u>않은</u> 것은?

① 지금 무엇을 해야할 지 질문한다.
② 생산적인 회의를 한다.
③ 기회보다는 문제에 집중한다.
④ 구체적인 실행계획을 세운다.

정답 3

성과는 문제를 해결하는 것이 아니라 기회를 살릴 때 나온다. 중대한 변화를 회사 내·외부에서 분석해 이런 변화로 회사에 어떤 이득을 줄 수 있을지에 대해 생각해야 한다.

05 리더십 스타일 중, 직원의 실적개선을 돕고 장기적인 강점 개발 시 가장 효과적인 리더 십 스타일은?

① 민주형
② 모범형
③ 코칭형
④ 지시형

정답 3